Ⓢ新潮新書

小林泰明
KOBAYASHI Yasuaki

国家は巨大ITに勝てるのか

1012

新潮社

はじめに

巨大ＩＴ企業を取材して、７年になる。２０１６年から３年間を日本で、２０１９年から３年間を米国で、２０２２年からは再び日本で巨大ＩＴと政府の攻防を追っている。時には国家側から巨大ＩＴを、時には巨大ＩＴ側から国家をみてきた。便利で素晴らしいサービスを提供する、米国の大きな企業。「ＧＡＦＡ」と呼ばれる巨大ＩＴ企業について、最初はそういう印象しかなかった。

グーグル、アップル、フェイスブック（現・メタ）、アマゾン・ドット・コムの総称、「ＧＡＦＡ」。グーグル検索は何かを探すのに便利だし、グーグルマップは外出時に必須だ。アップルのｉＰｈｏｎｅはデザインが洗練されていて、本当に使いやすい。アマゾンのネット通販は必ずほしい物が見つかり、しかも配達が速い（フェイスブックは使っていない）。

そんなＧＡＦＡの別の顔を垣間見たのは、ある大手通信会社幹部の夜回り取材（夜に自宅などで行う非公式取材）がきっかけだった。アップルのｉＰｈｏｎｅを扱う日本の通信会社はアップルと契約を結んで供給を受けている。ある晩、何とはなしにその件を尋ねると、「それは言えない」。その人の口が一気に重くなった。強力な守秘義務がかかっているようだった。その人は慎重に言葉を選んで言った。

「なぜ日本のキャリア（通信会社）が、アンドロイド端末より圧倒的に安い値段でｉＰｈｏｎｅを売っているのか。なぜ日本だけｉＰｈｏｎｅがこんなに安いのか。考えれば分かるよね」

ｉＰｈｏｎｅの過剰な値引き販売が問題となっていた時期。その口ぶりは、アップルから販売面で何らかの圧力を受けていることを示唆していた。禅問答のようなやりとりが続いた後、その幹部は「私は何も言っていないから」と念を押すように言った。

通信会社は、日本では巨大企業と言っていい存在だ。その幹部をここまで恐れさせるアップルとは一体、どんな企業なのか――先進的でカッコいい企業、というイメージしかなかった私は、アップルの別の顔に触れた気がした。

その後、ＩＴ業界を取材していると、アップルやグーグル、アマゾンの周辺で様々な問題が起こっていることがわかってきた。しかし、そうした問題を調べようとすると、驚くほど手がかりが少ない。GAFAが自ら丁寧に教えてくれるわけがないし、そもそも彼らに取材を依頼してもほとんど答えが返ってこない。

色々な情報を当たっていると、唯一、確かそうな情報が見つかった。それは日本政府、経済産業省（以下、経産省）や公正取引委員会（以下、公取）が出した報告書だった。

おぼろげに見えてきた彼らのビジネスモデルは複雑で、分かりにくかった。彼らは消費者と企業をつなぐ場、プラットフォームを運営し、消費者が使うプラットフォームと、企業が使うプラットフォームという二つの顔を持つ。問題の多くは、企業向けの「顔」で起きているようだった。中小企業は巨大ＩＴの世界で取引を失うのを恐れ、声を上げられない。取引企業の声は消費者には伝わりづらく、問題は見過ごされているように思えた。

政府の報告書を読んでも、彼らのビジネスはまだまだ得体の知れないブラックボックスだった。しかし、政府関係者を取材すると、それは政府も同じだった。これまでとは全く異質な企業を前に、政府ですら戸惑っているのだった。

彼ら巨大ＩＴ企業と渡り合える存在は、国家を統治する巨大機構、政府しかないように思えた。しかし、政府でさえ巨大ＩＴの前では頼りなくみえる。選りすぐりのエリート人材、それによって生み出される、精巧なビジネスモデルと巨額のマネー。プラットフォームに集まる企業に課されるルールは、あたかも国家の法律のように機能し、そこに住む者を統べる。それに比べて国家のシステムは古くさく、時代遅れに思えた。

「巨大ＩＴは独占禁止法（以下、独禁法）を一番、怖がっている」

そう聞いた私は、独禁法を所管する公取を精力的に取材した。しかし、「市場の番人」と呼ばれる公取であってもビジネスの全貌をつかみ、問題行為を法執行につなげるのは至難の業だった。彼ら巨大ＩＴは強く、秘密主義だ。政府の言うことを素直に聞く相手ではなく、要求を無視することさえあった。

そのうち政府＝国家側の反撃が始まった。世界各国は独禁法の執行や規制強化で対抗。巨大ＩＴは本性をむき出しにして抵抗し、国家と巨大ＩＴの攻防は激しさを増した。

政府関係者は無自覚だったかもしれない。しかし私には、それはまるで国家が自らを脅かす存在を本能的に押さえ込もうとしているように見えた。

国家は司法、立法、行政の三権で統治されている。報道機関は政府を監視する役割を担う「第四の権力」と言われる。では巨大ＩＴは？

グーグルの元CEO、エリック・シュミットらは2014年の著作『第五の権力』（ダイヤモンド社）でこう述べた。

「これからの時代は、誰もがオンラインでつながることで、私たち1人ひとり、80億人全員が新しい権力、つまり『第五の権力』を握るかもしれない」

インターネットは確かに、個人に力を与えた。しかし、それはIT企業が用意した巨大な手のひらの上で、にすぎない。そして今、巨大ITこそが国家も報道機関もよせつけない、「第五の権力」として君臨している。

歴史上、類を見ない巨大企業に対し、一国家では立ち向かえないと、近年は国家が連帯して包囲網を築く動きも出ている。「超国家」ともいうべき巨大ITと国家が繰り広げるパワーゲーム。実は私たちは今、その渦中にいる。この本を読めば、そのことを理解していただけると思う。

そして――巨大ITは多くの顔を使い分けている。新型iPhoneや新サービスの華々しい発表。そこで見る彼らの顔は世界最先端の洗練されたテクノロジー企業だ。

だが、それは数多くある彼らの顔の一つにすぎない。彼らは消費者にはいつも慈愛の表情で応じるが、企業には時に残酷な表情をみせる。自らの領地にはライバル企業を寄せつけない高い壁を築き、貪欲に金を稼ぐ。優れた弁護士やロビイストを雇い、刃向かう者はたたき潰す。

２０２２年末、チャットＧＰＴの登場で突如わき起こったＡＩブーム。ＡＩでも主導権を握るのは巨大ＩＴであり、国家による規制をめぐって政府への働きかけを強めている。彼らは米国資本主義の申し子だ。つまるところ、彼らを突き動かすのはビジネス拡大の野心であり、社会的な問題も損得勘定で判断しているように思える。

彼らが邪悪だとは思わないし、安易な巨大ＩＴ批判に与するつもりもない。ただ、何ごとにも光と影があり、光が強いほど影も濃くなる。便利なサービスの裏で本当は何が起きているのか、巨大ＩＴの「正体」と、知られざる国家の攻防を明るみに出したい。

（敬称略。１ドルは原則、１３０円で換算した）

２０２３年８月
小林泰明

国家は巨大ＩＴに勝てるのか――目次

第1章　日本政府、GAFAに挑む

「日本がGAFAのような巨大企業の下請けになってしまうことを私は真剣に懸念しています」——杉本和行（公正取引委員会前委員長）

アップルvs日本政府

２０２３年６月２日。この日の読売新聞は１面トップで日本政府の新しい巨大ＩＴ規制を報じていた。

「アプリストア開放義務　アップルに　政府巨大ＩＴ規制」

巨大ＩＴ企業の一角、アップルが独占するｉＰｈｏｎｅのアプリストア。それを他社が参入できるように、開放を義務づけるという。アプリストアにはマイクロソフトなどの巨大ＩＴや日本の通信大手の参入を見込んでいる、とした。

政府が満を持して打ち出そうとしていた規制案だったが、記事がネットに掲載されるや否や、iPhoneファンから反対の声がわき起こった。

「安心感を壊さないでよ。他社とか入ったら絶対おかしくなるじゃん」

「安全性が低下したら政府はアップルに対して責任を取れるのか?」

ヤフーニュースで記事に寄せられたコメントは1700件超。大半が反対意見だった。当然の反応だろう、と私は思った。アップルが好きでiPhoneを使っているんだから、他社のストアなんて必要ない。安全でなくなるのなら規制なんていらない——背景事情に詳しくない消費者なら、そう思うに決まっている。

一方で、ストアにアプリを提供する企業の反応は全く違った。

「うちのビジネスは薄利多売で成り立っている。アップルに手数料で30%をとられると、利益がほとんどなくなる」

「30%はあまりにぼったくっている。iPhoneのアプリでデジタルグッズを販売できない」

「ストアを独占したいという気持ちが強すぎる。生活インフラとしてアプリ企業を平等に扱ってほしい」

彼らはアップルのストア支配に憤り、政府の規制方針を歓迎していた。

消費者から見えるアップルの顔と、取引企業から見えるアップルの顔。どうしてこうも違うのか。

巨大IT企業のビジネスは、企業と消費者の間に入る「場」を運営する形が多い。アップルがiPhoneで展開するアプリストア「アップストア」(青地に白でAと書かれたアイコン。アプリを入手するときに使うもの)は、アプリ開発企業がストアにアプリを提供し、消費者はストアを通じてそのアプリを入手する仕組みだ。アプリ開発企業が直接、消費者にアプリを提供する構造にはなっておらず、企業がアプリを提供するには必ずアップストアを経由しなければならない。アップルが消費者と企業の間に入る形になるため、アップルは対消費者と対企業、二つの顔をもつことになる。

政府が問題視しているのは、アップルが消費者に見せる優しい顔ではなく、アプリ企業に対して見せる「怖い顔」の方だった。

問題の根源はアップルがアプリ企業に課す手数料、通称「アップル税」とそれを徴収する決済システムにあった。アップルはアプリを提供する企業から売上の最大30%を手数料として徴収しており、この手数料の水準が高いとして企業の不満が根強い。

30%がどれほどの負担感なのか一般の人にはなかなか分かりづらいかもしれない。個人に置き換えると、フリマアプリ「メルカリ」で商品を売った場合の手数料は売上の10%。これが30%だった場合、1万円の売上で3000円の手数料を取られるイメージだ。

政府や与党の自民党は、アップルが高い手数料で過剰な利益を得ているのではないかと疑っていた。アップルはストアからどのくらいの利益を得ているかを明らかにしていないが、米紙ウォール・ストリート・ジャーナルは、2019年度にアップルがアップストアのゲームで得た営業利益は、推計85億ドル(約1・1兆円)に上ると報じている。日本のゲーム大手、任天堂の2019年3月期の営業利益は約2500億円。ゲーム専業でないアップルが任天堂を大きく上回る利益を上げていることになる。

政府側がアップル税を問題視する背景には、日本企業が搾取されているのではないか、との強い不信感があった。「行き過ぎた手数料はたださなければならない。日本はアップルの植民地じゃないんだ」。ある自民党議員はそう憤った。

アップルにストアを開放させ、他社との競争で手数料を下げさせる。日本政府はそうしたシナリオを描き、2022年から規制の検討を本格化した。だが、自社製品への介入をとりわけ嫌うアップルが黙って他社への開放を受け入れるわけがない。後の章でも述べるが、アップルは政治力も兼ね備え、米国や中国など世界各国の政府と互角に渡り合ってきた。アップルは日本政府の規制導入を阻止するため、水面下で反攻を開始した。

アップルが突いたのは「セキュリティー」問題だった。ストアを開放すれば、サイバー攻撃を受けやすくなり、ｉＰｈｏｎｅの安全性が低下する。国民に被害が出てもよいのか――。２０２２年末にはＣＥＯのティム・クックが首相の岸田文雄と面会。政府関係者によると、ストアを巡る問題も俎上に上った。クックは面会後、「日本での投資について総理にはご満足いただけていると思う」と話し、日本への貢献を強調することで規制の動きをけん制した。

２０２３年に入ると、政治の中心地、永田町で政府関係者らがアップルの影を感じることが多くなっていった。アップルは日本の官庁出身者を「ロビー担当」として雇っている。規制に反対するよう、議員の説得工作を進めているのではないか――政府側は危機感を強めた。日本の元国家安全保障当局者や、米国の元政府高官らも安全保障の観点からストアの開放規制に反対し、反対論は勢いを増していった。

巨大ＩＴ企業、アップルと相対する政府の「デジタル市場競争本部」。規制の検討を主導する同本部事務局の人員は、実質20人にすぎない。反対論に押される政府側も、ストア開放を実現する上で最大の課題はセキュリティーだと考えていた。競争を促す上でストア開放は必要だ。しかしその結果、安全性が低下すれば、被害を受けるのは国民だ。副作用が大きいと規制の大義が揺らぎかねなかった。政府とアップルは2023年春以降、水面下で交渉を重ね、「競争と安全」の妥協点を探った。

政府とアップルの力関係は、政府が「主」でアップルが「従」ではない。政府がアップルの意向を無視して規制を導入しても、アップルが技術的に対応できるものでなければ絵に描いた餅になってしまう。規制に必要な情報も圧倒的にアップル側にある。巨大ITは政府であってもそう簡単に規制できる相手ではないのだ。

4月には政府の有識者会議がアップルへのヒアリングを実施。アプリストア開放規制を巡り、大学教授ら有識者とアップル本社の幹部が直接、意見を交わした。後に公開された議事録には規制導入に反対するアップルと、導入に前向きな有識者会議の生々しいやりとりが記録されている。

議事録によると、アップル側は冒頭から、政府側の規制案に「重大な懸念をもっている」と言及。「プライバシーやセキュリティーに多くの抜け穴が生じる」と強調し、ストア開放に強い拒否反応を示した。アプリ企業の不満が強い手数料についても「多くのプラットフォームはアップルと同じ30%の手数料を課している」とし、問題ないとの認識を示した。

何も変える必要はない。なぜなら我々の今のやり方がベストだからだ――こうしたアップルの主張に、会議メンバーの弁護士がかみついた。

「私たちはセキュリティーを後回しにしろと言っているのではなく、競争阻害が見過ごせなくなっているから、競争を回復するための対応をお願いしているのです。今日の説明は自社のサービスは全く変えずに、競争を回復する政策を導入するとセキュリティーが侵害される、と言っているように聞こえます」

この発言がアップルのしゃくに障ったようだ。アップルは猛然と反論する。

「アップルが独占していると皆様はおっしゃるかもしれませんが、独占企業が一度も（アップストアの）価格を上げなかったのは奇妙なことです。価格は下がっており、私たちから見れば、競争上の問題があるとは考えにくいのです」

「外部の者が（安全性が確保されるように）直せばよいというのは簡単ですが、それを実行するのは容易ではありません」

アップルは高額手数料を批判するアプリ企業にも不満を示した。

「30％の手数料は誰が支払っているかご存じでしょうか？ 数十億ドル規模の売上を有す

る企業であり、規制当局にロビー活動をすることができる人たちです」

「政治力をもっている方たちが規制当局の前に出ているわけで、ほとんどのデベロッパー（アプリ開発者）はアップルのサービスに満足していると考えています」

アップルは規制によってほかの巨大ＩＴ企業がアプリストアに参入することを警戒しているようだった。新規参入候補には、マイクロソフトや日本の通信大手、ＮＴＴドコモ（以下、ドコモ）の名前も取りざたされていた。

「規制の多くから利益を受けるのは大手テクノロジー企業です。これらの規制は結局のところ、規制しようとしているほかの大きな企業を強くしてしまうのです」

後述するが、アップルの経済力と政治力は巨大ＩＴの中でも群を抜く。その「最強企業」アップルの口から「ロビー活動」や「巨大ＩＴの脅威」が語られることには大きな違和感を覚える。

一消費者として、ヒアリングでのアップルの主張に同意できる部分もある。しかし、巨大ＩＴ問題でいつも痛い目に遭っているのは消費者ではなく、裏で商品やサービスを提供する企業だ。これまでそうした企業の声を聞いてきた私には、彼らの悲痛な声が嘘だとも思えなかった。「競争」と「安全」を両立させる解はあるのか――。

「彼ら（アップル）が納得しているかどうかは分からない。ただ、懸念は一定程度、受け止めた」。2か月後の6月半ば、政府関係者は交渉の決着を示唆するかのようにそう語った。そして6月16日、政府のデジタル市場競争会議は、アプリストアの開放義務を含む、事実上の規制案を発表した。

「（安全性が懸念される）ウェブサイトからアプリを直接ダウンロードできるようにすることは（アップルに）義務づけない」

「（アップルが）セキュリティー確保のために必要な措置を講じることができる」

政府はアプリストアの開放義務では譲らない一方、セキュリティー問題をめぐり、危険性の高い選択肢を除外。アップルが他社のストアの安全性を審査する、とも受け取れる譲歩案を盛り込んだ。規制案が書かれた報告書で使われた「セキュリティ」の語句は実に約130に上り、政府の安全への配慮がにじんだ。規制の議論に関わった関係者は「政府は手放してはいけない部分は守り、巨大ITのメンツも立った」と評価した。

規制案がまとまり、政府側には安堵感が広がった。あとはこれを法案に落とし込むだけ――政府とアップルの攻防は決着したかに見えた。

しかし、規制案が発表された当日、アップルが出した声明が楽観論を吹き飛ばした。

「私たちは、この度の報告書に記載された多くの提言に謹んで異議を申し上げます。これらの提言は、ユーザーのプライバシーとセキュリティを保護するアップルの力を危険にさらすことになります。こうした懸念に取り組むため、日本政府と建設的な話し合いを続けてまいります」

まだ終わりではない――慇懃に書かれた文章はそんなメッセージを政府に送っているかのようだった。政府は規制を盛り込んだ新法案を早ければ2024年の通常国会に提出することを目指している。2022年、GAFAは米議会に提出された巨大ITの規制法案に対して凄まじいロビー攻勢をかけ、廃案に追い込んだ。彼らにとって「国家」は畏怖する相手では全くない。政府vsアップルの第2ラウンドがこれから始まるのだ。

「規制なんてできるのか」

時計の針を2018年に戻す。前出のアプリストア開放規制は日本政府にとって第2弾の巨大IT規制となる。第1弾は、巨大ITに取引条件などの情報開示を義務づけた2021年の「デジタルプラットフォーム取引透明化法」だ。その原点になる記事が読売新聞に掲載されたのが、2018年6月1日。奇しくも第2弾の記事が書かれたちょうど5年前だった。

「巨大ＩＴ企業　新規制　不公正取引懸念　政府検討へ」。当時、掲載された記事はこう伝えている。

――政府は「プラットフォーマー」と呼ばれる巨大ＩＴ（情報技術）企業を念頭に、不公正な取引を防ぐ規制の検討に入る。ＩＴ大手は通販や検索などインターネット上のサービスで大量のデータを集めて事業に活用し、圧倒的な競争力を誇っている。大量の個人データを不当に囲い込んだり、優位な立場を使って不当な取引をしたりできないような措置を講じることを目指す。

内閣官房や経済産業省、公正取引委員会、総務省など関係する省庁が連携して検討を進め、年内にも基本的な方向性を示す。商品のシェア（市場占有率）が中心だった独占や寡占に対する規制のあり方をデータにも適用できるかを検討し、プラットフォーマー向けの新法や、独占禁止法の改正などを視野に入れる――

この記事を書いたのは私だった。記者は通常、自分の書いた記事を新聞で一番目立つ1面に載せたいと考える。この記事は2面に掲載され、扱いは中程度、といったところだった。ただ、私はその扱いに少しホッとしていた。独自に入手した政府の資料をもとに書いていたから、情報の確度に自信はあった。だが、どうしてもある疑念が頭から離れなかった。「巨大ＩＴを規制するなんて、本当にできるのか」——記事を書いた本人がその実現性を疑っていたのだ。

当時、すでにＥＵ（欧州連合）の執行機関・欧州委員会がグーグルに巨額の制裁金を科すなど対決姿勢を強めていたが、日本ではＧＡＦＡは「便利なサービスを提供してくれる会社」であって、規制するような悪さをしていない、という雰囲気が強かった。

ＧＡＦＡの本社はいずれも米国にあり、何より巨大だ。お膝元の米国政府にも目立った規制の動きはみられない。米政府も手をつけていないことを果たして日本政府ができるのか。そんな思いが先に立った。

日本政府に動きがないわけではなかった。２０１６年、経産省はスマートフォンの基本ソフト（ＯＳ）を提供するアップル、グーグルの取引実態などを検証した報告書を公表。両社がスマホのアプリ市場での支配的な立場を利用して、競争を阻害している可能性を指摘した。公取は２０１８年、アップルがｉＰｈｏｎｅの販売で携帯電話大手３社と結んでいた契約が独禁法違反の疑いがある、と指摘していた。

そもそも、全く新しいビジネスを世界規模で展開する巨大ＩＴに網をかけられる法律があるのかすら、よく分からなかった。独禁法しかない、というのが大方の見方であり、私もぼんやりとそう思っていた。

そもそも独禁法とは何だろう。独禁法で問題とされるのは、独占企業の「行動」だ。独占企業は取引先に対する交渉力が強く、自社に有利になる様々な条件を相手に押しつけたり、ライバルになりそうな企業を市場から追い出したりすることができる。市場からライバルがいなくなり、価格を恣意的に上げられるようになると、選択肢がない消費者は独占企業の製品やサービスを高くても買わざるを得なくなる。ライバルが不在になると自社の製品やサービスを磨かなくなり、質が落ちる可能性もある。

そこで独禁法は、市場支配力の強い企業がその力を使って競争を減らしたり、なくしたりする行為を違法とみなし、取り締まる。それによって十分な競争が生まれれば、結果的に消費者の利便性の向上につながるというわけだ。

だが、巨大ＩＴを取り締まる上で、独禁法や公取には弱点があった。独禁法は通常、独占企業が不当に価格を引き上げた際、消費者の利益を害したとして違反を問う。しかし、巨大ＩＴのサービスは無料が多く、そもそも取り締まりにくい。

独禁法の執行には、長期間の調査と専門知識をもった多数の職員が必要になるが、公取は政府の組織としては規模が小さい。巨大ＩＴはビジネスモデルが複雑で経営スピードが速いため、公取だけでは巨大ＩＴを十分に捕捉できない恐れがあった。

秘密会議と鈍い公取

巨大ＩＴ規制の議論をリードしたのは、安倍晋三政権の下で影響力を増した経産省だ。経産省は、公取、総務省と共同で有識者会議を新たに設置し、そこでまとめた報告書をもとに新規制を作るシナリオを描いた。

２０１８年7月、経産省別館に集まった学者ら有識者会議の委員は、秘密裏に議論をスタートさせる。議論の内容はもとより会議の設置さえ表に出さない「秘密会」だった。巨大ＩＴは元官僚らをロビイストとして雇い、政府の動きに目を光らせていた。法曹界にも網を張り、「大手弁護士事務所に調査を依頼し、利害関係者にして身動きを取れなくしている」（ある有識者）とも言われていた。公開の会議にすれば巨大ＩＴが有識者を「籠絡」しようと動き出すのではないか——政府にはそうした警戒感があった。

月2回のペースで開かれた会議では、巨大ＩＴの問題点や海外の規制動向について委員らが報告。議論は着々と進んでいるようだった。議論の内容を密かに追っていた私はそれでも懐疑的だった。巨大ＩＴを規制するには既存の法律の枠組みを超える必要がある。そこまでドラスティックな動きには出られないのではないか――。

議論が佳境に入ったのは秋だった。流れは着実に規制導入へと向かっていたが、そこで問題が起きた。公取が強制権限を使った調査に消極的というのだ。

巨大ＩＴは取引企業と「秘密保持契約」を結ぶことが多く、任意調査では十分な情報を得られない。そこで必要とされたのが、強制的に取引内容を開示させることができる独禁法40条に基づく強制調査だった。

公取の後ろ向きの姿勢は、規制導入の方向性を後退させかねない問題だった。まず公取が強制権限を使って巨大ＩＴの実態を調査し、それをもとに規制や監視体制を整備する――これが有識者会議の描くシナリオだった。公取の調査が中途半端に終われば、規制導入が頓挫する恐れもあった。

当時の公取委員長は財務省出身の杉本和行。巨大ＩＴによる市場支配をいち早く問題視し、取り締まりに意欲をみせてきた。「このままでは日本企業はＧＡＦＡの下請けとして生きていかなければならなくなる」。財務次官も務めた杉本の危機感は強かった。

しかし、そんな杉本の熱意とは裏腹に、事なかれ主義の生え抜き職員も少なくなかった。

その年7月、ＥＵの執行機関・欧州委員会はグーグルに43億４０００万ユーロ（約５７００億円）もの巨額の制裁金を科した。根拠となった法律は、ＥＵ競争法（独禁法）。同法違反の制裁金としては過去最高額となり、世界に衝撃を与えていた。

杉本もＥＵ当局の動きに刺激を受けた1人だった。杉本は内部の会議で「ＥＵの状況を見ているだけでは不十分だ。委員会としての態度をはっきりさせなければならない」と幹部に告げた。「できない」、「難しい」。答えの多くは消極的だった。有識者会議で強制調査に難色を示す公取の幹部に、関係者は同じ事なかれ主義を感じ取っていた。

このままではまずい――有識者会議の焦りを知った私は杉本に直接、状況を伝えた。「必要なら強制権限を使って対応すべきだ」。杉本はそう言った。その後、公取は会議での後ろ向きの態度を改め、強制調査の実施に同意したという。

そして10月、有識者会議に報告書の草案が提出される。内容は驚くほど厳しいものになっていた。巨大ＩＴの取引の不透明さを指摘しながら、監視組織の創設、規制の導入、公取による強制調査を提案するもので、想像以上に強力な３点セットだった。

政府はその時点で規制を実現するスケジュールも綿密に組んでいた。まず公取が取引の実態を調査し、次いで政府に監視組織を新設。そして、不透明な取引を「見える化」する法規制を検討する――巨大ＩＴの規制に向け、日本が大きく踏み込んだ瞬間だった。

規制の理論的支柱になったのは会議に参加した学識者だった。委員らの巨大ＩＴへの危機感は強く、委員の一橋大教授（当時）・岡田羊祐はＧＡＦＡの一極集中に強い警鐘を鳴らし、公取の体制も容赦なく批判した。

「莫大な研究開発費、人材、データ、知的財産がＧＡＦＡに集中していることを非常に懸念している。このままでは彼らに都合のいいイノベーションは生まれるかもしれないが、それ以外の革新的なイノベーションが生まれない」

「公取はリソース不足、戦闘力不足。ＧＡＦＡになめられている。ＧＡＦＡを摘発するにはテクニカルな知識やそれを理解できる専門家が必要だが、小さい役所で、ＧＡＦＡが膨大なリソースで対抗してくると、対応できない」

第1ラウンド：有識者会議vsＧＡＦＡ

有識者会議はその後、規制導入に向けた最後の詰めに向け、ＧＡＦＡを招いてヒアリングを実施した。日本政府vsＧＡＦＡ、初の直接対決となる。ここでアマゾンが強硬な態度をみせる。政府からの再三にわたる出席要請を拒否し、ヒアリングを欠席したのだ。アマゾンは、取引の情報開示を義務づけようとする規制の最大の標的になっていると受け止めたようだった。

アマゾンには通販サイトの出店者に厳しい取引条件を課し、「出店者いじめ」をしているという見方が絶えなかった。独自に入手した政府の非公式資料には、出店者の怨嗟の声が綴られていた。「アマゾンは口約束を希望することが多いが、後にそれに言及すると、言った覚えがない、証拠を出せ、の一点張り。不利な立場になると『取引できなくなってもいいのですか』と脅しをかけてくる」――。

そうした声を直接聞きたいと、当時、それと思しき中小企業に、手当たり次第に電話をかけたが、報復を恐れているのか、取材に応じてくれる企業はなかった。アマゾンの政府に対する態度をみて、それも仕方のないことだと思った。政府の出席要請すら堂々と拒否するアマゾンに、出店者が刃向かえるわけがない。

他方、アップルやグーグルはヒアリングに応じた。非公開だったが、出席者によると、両社とも他社との競争が激しいことを強調し、自社のビジネスに問題はないとの認識を示した。ただ、契約などの透明性を確保する必要性には理解を示したという。またフェイスブックは「日本の担当者がいない」として意見書を提出した。ヒアリングを経ても、彼らのビジネスはブラックボックスであり、規制が必要だとの政府の見方は変わらなかった。

第2ラウンド：自民党vsＧＡＦＡ

その後、舞台は政治のプロセスに移る。２０１９年３月、与党・自民党が規制導入に向け、ヒアリングを実施した。日本vsＧＡＦＡ、第２ラウンドとなる。非公開で行われたが、取材をもとに内部のやり取りを再現してみたい。

アップルは米国本社から幹部を送り込み、巧みに自社の主張を展開した。

「日本市場は特別なマーケットで、ｉＰｈｏｎｅは日本のサプライヤーなしでは実現できない。アプリの売上にかける手数料が高すぎるというが、下がっている。不健全な市場環境を作っていることはまったくない」

要するに、自社の事業に問題はないという言い分だった。出席した国会議員からは、ｉＰｈｏｎｅでアプリを入手する際に使うアップストアの審査をただす声が相次いだ。

「事前相談ではＯＫのアプリが実際にはダメだったり、それまでＯＫだったものが突然停止されたりすると聞く。アプリ審査の説明が足りないのでは？」

　これに対しアップルは「アプリ審査の透明性についてはガイドラインを公開し、プロセスは極めて明瞭。アップストアからアプリを排除する意図はまったくないが、不適切な内容や詐欺行為があるようなら不合格にしている」と答えた。高すぎる（最大30％）といわれる手数料についても反論、「当社のサービスを考えれば、市場の中でも決して高くはない」と答えた。前述のように、２０２３年にはこのアップストアが再び問題視され、政府が手数料引き下げに向けた開放規制に動くことになる。

　続いて登場したのはアマゾンだ。政府の有識者会議は欠席したが、今回は出席。経産省出身のアマゾンジャパン渉外本部本部長らを送り込んだ。

「アマゾンは日本の小売業の中では小さな存在。当社は実態以上に巨大な存在に受け止められているのではないか。最近の（規制の）議論は検討が始まったばかりと認識しているが、消費者、ビジネスユーザー、アマゾンの利益を均衡すべきだ」

　規制をけん制するアマゾンの説明が終わると、党の競争政策調査会長がジャブを放った。「事前に質問事項を送ったのにほとんどの質問に言及してもらえなかったのは残念だ」。そして、二の矢を放った。「政府の有識者会議に出なかった理由は？」。

アマゾン側が釈明する。

「お互いに意見交換できる場があれば、いつでもはせ参じて議論に貢献したい。ただ、ルールメイクありきの議論が先行しており、心配している。有識者会議には産業界の者は1人も入っていない。話しやすい環境なのか懸念があり、出席を断った」

ほかの国会議員からも「取引事業者の犠牲の上で成り立っているのではないか」など厳しい指摘が相次いだ。

「事業者との取引においては、法に触れることは行ってはならないと考えている」

「BtoB（企業間）取引なので、お互い納得の上で取引している」

アマゾンは追及をかわすのに精いっぱいだった。

日を改めて実施されたヒアリングには、グーグル、フェイスブックが出席した。

グーグルから出席したのは米国本社の公共政策担当の幹部らだ。冒頭、グーグル側は「イノベーションを促進すると同時に、明確なルールを作らなければならないことは理解している」とし、「具体的な問題についてテーラーメイドの解決策を見いだすことについては、今後も議論を続けていきたい」と協調する姿勢をみせた。

「いいサービスだと思えばグレーでもまずはやってみる、というのは素晴らしい精神だ。

（政府当局からの）たいしたことがない制裁金であればやってしまえ、という社風はまだ残っているのでは？」

親グーグル議員の質問に、グーグル幹部は「私の仕事の最も重要な部分は世界各地を回って謝ること」と冗談めかした上で、「グーグルは規模の大きな企業に成長しており、その結果、自分たちの活動により慎重に、注意深くならなければならないと考えている」と話した。

フェイスブックは、日本の公共政策担当の執行役員が出席。フェイスブックは膨大な個人データの管理が問題視され、日本の個人情報保護法を強化すべきだとの声も上がっていたが、「規制は困るというのが正直なところ」と本音も出た。

直接対決の第2ラウンドが終わると、政府は新組織や法規制の動きを加速。２０１９年秋、政府内に新たな省庁横断組織「デジタル市場競争本部」が設けられ、２０２１年には日本初の巨大ＩＴ規制法「デジタルプラットフォーム取引透明化法」が施行された。アップルやグーグル、アマゾンなどに取引条件などの情報開示を義務づけ、政府が不公正な取引を監視する法律だ。２０１８年に最初の記事を書いてから、３年。この長さが巨大ＩＴを規制することの難しさと重さを物語っていた。

最強国家・米国との関係もあり、米国企業であるＧＡＦＡへの規制導入は一筋縄ではいかなかったようだ。「米通商代表部（ＵＳＴＲ）代表のライトハイザーが日本の巨大ＩＴ規制に懸念を示している」。政府関係者からはそんな話も聞いた。他国での規制潰しに米政府関係者を使うのは、巨大ＩＴの常套手段といわれる。

米政府からの圧力も予想される中、日本の規制導入を最後に支えたのは当時の首相、安倍晋三の大局的な判断だったという。ＥＵが規制を強化する中、日本に規制がなければ、日本企業が国際競争で不利になってしまう。そうした事態は避けなければならない――。

規制の導入過程をつぶさに取材し、みえてきたのはやはりＧＡＦＡの強さだ。ルールを作ろうにも、まず運営方法の多くが秘密のベールに包まれている。複雑なビジネスのベールを少しずつはがしたとしても、彼らが作った世界を理解し、問題をあぶり出すのは政府でも容易ではない。私はその後、ＧＡＦＡの本拠地・米国に赴任し、その強大さをさらに知ることになる。

第2章 「4割下げられる」菅発言の裏側

「お小遣いをあげてｉＰｈｏｎｅをタダで配っている。日本は本当にアップルにとって『おいしい国』だ」――通信大手首脳

ｉＰｈｏｎｅ人気と異常な値引き合戦

国内のスマートフォン市場で50％のシェアを占めるｉＰｈｏｎｅは日本人にとって特別な存在だ。しかしそれはアップルと日本の通信大手、政府との間で様々な摩擦を生んできた。この章では「ｉＰｈｏｎｅと日本の特殊な関係」について掘り下げてみたい。

日本で最初にｉＰｈｏｎｅを販売したのはソフトバンクだ。社長の孫正義が旧知のアップルＣＥＯ、スティーブ・ジョブズに直談判して独占販売にこぎ着けたという。２００８年、ソフトバンクがｉＰｈｏｎｅの販売を始めると契約数を急速に拡大し、ドコモやＫＤＤＩ（以下、ａｕ）は劣勢になった。

洗練されたデザイン、優れた操作性に高い機能。日本人はすぐにその虜になった。完成度の高さはもちろんだが、ｉＰｈｏｎｅ人気を作ったもう一つの要因がソフトバンクの「価格破壊」戦略だった。発売後しばらくするとソフトバンクは「実質負担０円」を打ち出した。高機能で実質タダとなれば、ユーザーが雪崩を打って契約を乗り換えるのは当然だった。これをきっかけに、ｉＰｈｏｎｅはタダ同然で手に入れられる、という認識が日本人に広がるようになる。

ａｕは２０１１年、劣勢挽回に向けてｉＰｈｏｎｅの販売を開始。業界ではソフトバンクがアップルに著しく有利な条件で販売契約を結んだと囁かれていたが、ａｕが結んだ販売契約はさらにアップル側に有利だったとされる。「屈辱的な条件」。当時の幹部はそう吐き捨てたという。

２０１３年、最後発でｉＰｈｏｎｅの販売を始めたドコモはさらに不利な条件でアップルと契約したとされ、日本の通信大手とアップルの契約は、関係者の間で「不平等条約」と呼ばれるようになった。こうしてｉＰｈｏｎｅという大人気スマホをもつアップルが業界を支配する構図が完成し、通信大手は「アップルの日本代理店」と揶揄されるようになった。

「キャリア（通信会社）は数量目標に向かって必死にiPhoneを売った。達成しないと、その後の取引に影響が出るからだ」。通信関係者は述懐する。アップルからiPhoneを供給してもらうには、たくさん売ってアップルにアピールしなければならない。3社はこぞって実質0円販売に踏み切った。

「家族4人で乗り換えればiPhone4台は実質0円、計100万円を還元する」

競争が過熱し、2014年頃にはそうした異常な値引き合戦が繰り広げられた。タダどころか、「お小遣い」をあげてでも契約者を獲得するようになったのだ。

容易に崩せない業界ピラミッド

ここで登場したのが総務省だ。過剰な安売りを問題視し、スマートフォンの値引き制限に乗り出したのだ。総務省は、通信料金の高止まりは、通信大手がiPhoneの値引きに資金を回していることが原因だと考えていた。

通信料金が下がらないのは結局、通信大手が大量の値引き資金を投入し、iPhoneを売りさばく必要があるからだ。iPhone問題を何とかしなければ、通信料金は下がらない――。

「お小遣いをあげてｉＰｈｏｎｅをタダで配っている。日本は本当にアップルにとって『おいしい国』だ。この状況を何とかしなければならない」

通信大手首脳からもアップルの日本支配を憂慮する声が上がっていた。

それでも、アップルと通信大手の関係はそう簡単には崩れない。依然として過剰値引きはやまなかった。これに業を煮やしたのが当時の官房長官、菅義偉だった。

「4割程度下げる余地がある。競争が働いていない」

菅は２０１８年、携帯電話料金の引き下げをぶち上げる。菅の強力な後押しを得た総務省は２０１９年、通信契約とスマートフォンのセット販売の値引きを制限する電気通信事業法改正に踏み切る。セット販売の値引き額の上限は2万円。安売りされていたｉＰｈｏｎｅの価格は当然上がる。通信関係者によると、アップルは過剰値引きの弊害には関心を示さず、「人気端末を安く売ることを妨げてはいけない」と値引き規制に反対したという。

これと歩調を合わせるように、公取が動いた。アップルがドコモとａｕ、ソフトバンクと結んでいる「iPhone Agreement」を調査、独禁法違反の疑いがあると指摘したのだ。アップルは通信大手に厳しい販売ノルマを課していると囁かれていたが、その中身は外部からはうかがい知れなかった。両者の間には強力な秘密保持契約（ＮＤＡ）が存在し、通信大手は「口封じ」にあっているとも言われていた。

公取はその契約に切り込み、ｉＰｈｏｎｅを販売する際、通信大手に一定額の値引きを義務付ける規定があったとし、独禁法上、問題になり得るとの見方を示した。契約では、ｉＰｈｏｎｅの注文数量があらかじめ決められていた例があったことも明らかにした。ただ、注文数量は義務ではなく、「未達成に対する不利益も課されていなかった」などとし、不問に付す形になった。

ｉＰｈｏｎｅ販売がアップルを頂点としたピラミッド構造で成り立っていることに異を唱える業界関係者はいない。日本でｉＰｈｏｎｅを扱う通信大手は現在、ドコモ、ａｕ、ソフトバンク、楽天モバイルの4社。いずれも大企業だが、アップルの前では一取引先にすぎない。業界関係者が言う。

「ｉＰｈｏｎｅは通信契約の獲得に欠かせないから、どこも扱いたい。だからアップルから新機種や人気色の割り当てを十分に受けられるよう、たくさん売ろうとする」

ｉＰｈｏｎｅを売れば売るほど、アップルが目をかけて多くのｉＰｈｏｎｅを供給してくれる。日本の通信大手はその呪縛から逃れることができない。

日本の部品メーカーとの関係でも、アップルは優位に立っている。

「メーカーがアップルに提案したアイデア、提案、助言について、アップルは無償でそれを自社製品等のために利用できる」

公取によると、日本のある大手企業は、アップルとの商談開始時にこうした一方的な条項を呑むことを余儀なくされたという。

「秘密保持契約は一方的で、平等な内容に改める要求には一切、応じない」

「日本企業の技術などに対する知的財産権を完全に無視している」

公取の調査に対し、そうした不満をぶつける日本企業もあった。

iPhoneを分解して調べた日本の部品調査会社「フォーマルハウト・テクノ・ソリューションズ」の推定によると、カメラの重要部品「イメージセンサー」はソニーグループ、データを記憶する「NAND型フラッシュメモリー」はキオクシア、バッテリーの電気を安定供給する「積層セラミックコンデンサー」は村田製作所や太陽誘電、TDKが供給しているという。

「日本企業は多くの部品をiPhoneに供給し、部品点数では国別で首位の7~8割に上る」。フォーマルハウトCEOの柏尾南壮(かしお みなたけ)は言う。喜ばしいことではあるが、日本企業が十分な利益を得られているかは別問題だ。世界中から部品を調達するアップルの価格交渉力は強大で、大量購入する立場を使って取引先に価格の引き下げを求める例もあるという。そうしたアップル向けの値下げは取引先の間で「アップルプライス」と呼ばれているという。

アップルの支配は家電量販店や携帯電話の販売代理店にも及ぶ。陳列は店内の一等地を要求し、「商品は売らせるが、数を売ってね、という対応」(量販店関係者)。販売が一定量に達しない場合、取引を停止されるという。携帯電話の販売代理店でも商品の陳列方法にアップルが細かく介入し、従わないとiPhoneを扱えなくなるという。

「アップルはアロガント(傲慢)だ」。欧州の通信大手首脳は、日本企業との内輪の席でそうアップルを批判したという。美しい製品を創造し強大な力を手に入れたアップルに多くの企業はひれ伏すだけだ。この巨大企業に誰が立ち向かえるのか——私はそうした思いを強くしていった。

第3章 「問題児」フェイスブックの野望

「素早く動いて破壊せよ」――マーク・ザッカーバーグ
（フェイスブック創業者）

メタバース支配を狙うザッカーバーグの賭け

2021年、フェイスブックは大胆にも社名を「Ｍｅｔａ」に変更した。

当時、すでに言論空間で大きな影響力を持つようになっていたが、2018年に個人情報流出問題が発覚。社名変更の少し前には「安全性よりも利益を優先している」と元社員が内部告発するなど、企業体質を追及する動きが広がっていた。社名変更は負のイメージを刷新するのが狙いではないか――そんな声があちこちから聞こえた。

しかし、創業者、マーク・ザッカーバーグの「改名」スピーチを詳細に聞くと、彼の壮大な野心と戦略が伝わってきた。

「私たちは大企業ですが、他のプラットフォームのルールの下で生きることで、私のテック業界に対する見方が大きく変わりました。そして、選択肢の少なさと料金の高さが、イノベーションを妨げ、人々が新しいものを作るのを阻み、インターネット経済全体の足かせになっていると思うようになりました」

スマートフォンのアプリ企業から脱却し、次世代のプラットフォームを取りにいく。それがインターネット上に構築される仮想空間「メタバース」だった。それはアプリの世界を支配し、敵対関係にあるアップルに対する挑戦状でもあった。アップル支配を抜け出し、新たな世界の王になる——2019年夏に米国に赴任し、「ザッカーバーグ・ウォッチャー」になっていた私にはそう言っているように聞こえた。

フェイスブックを日常的に使っていないが故に、渡米するまでフェイスブックは私にとって遠い企業だった。しかし、米国で震源地になるのはいつも「問題児」のフェイスブック。私はその取材に忙殺されることになった。

フェイスブックはザッカーバーグがハーバード大在学中の2004年に開設した交流サイトが始まりだ。友人と交流する新しいサービスとして利用者を拡大し、SNS（ソーシャル・ネットワーキング・サービス）の代名詞になった。2012年に写真共有アプリ「インスタグラム」を、２０１４年には対話アプリ「ワッツアップ」や仮想現実（ＶＲ）開発「オキュラスＶＲ」を買収して急成長を遂げ、傘下サービスの月間利用者は約38億人。世界人口の半分近い膨大な数字だ。

２０２２年の売上高は１１６６億ドル（約15兆円）、最終利益は２３２億ドル（約３兆円）。詳細な個人情報を生かした精度が高いターゲティング広告に強みをもち、広告事業が売上の97％を占めている。もともとゴーグル型のＶＲ端末オキュラスを販売していたが、社名変更を機にメタバースに注力、３Ｄデジタル空間で主導権を握る構えをみせている。

巨大企業ではあるが、売上や時価総額では他のＧＡＦＡ３社に大きく見劣りし、「４人きょうだいの末っ子」という印象だ。現在は、むしろマイクロソフトを入れた「ＧＡＭＡ」のほうが、最強４企業にふさわしい気がする（ちなみに「ＧＡＦＡ」の通称は米国では使われておらず、「ビッグテック」と呼ぶのが一般的）。

メタでは創業者ザッカーバーグが前面に立ち、すべてを動かしている印象が強い。

ザッカーバーグとは何者か。映画「ソーシャル・ネットワーク」では、風変わりなコンピューターオタクとして描かれたが、私の印象は「テクノロジー至上主義の野心家」

だ。メタの議決権の50％超を保有し、会社を自らのコントロール下に置いている。過去にヤフーなど多くの大企業が買収を提案したが、ザッカーバーグは自ら会社をかじ取りすることに強くこだわり、提案を拒否してきた。

過去に「素早く動いて破壊せよ」の戦略を掲げたことから、「体制の破壊者」のイメージがつきまとう。そのせいか米議会の議員ら体制側のウケはめっぽう悪く、危険人物扱いされている感じだった。「鼻持ちならないやつ」、「ナイーブ（世間知らず）」。私の同僚の米国人もみな彼が嫌いだった。

一方で、私は伝記本などを読んで人物像を調べていくうち、ザッカーバーグに興味を覚えるようになっていた。彼は純粋な部分をもつ一方、物事を非常に深く考えているように思えたからだ。彼に興味をもつきっかけになったのがデジタル通貨「リブラ」をめぐる公聴会だった。

国際金融マフィアに潰されたリブラ構想

２０１９年、世界で大きな波紋を呼んだリブラ計画。これはフェイスブックの対話アプリ「メッセンジャー」や専用アプリで、メッセージをやり取りするようにお金を払ったり送ったりできるようにするという、野心的な構想だった。

「携帯電話を持っていても銀行口座がない人は約10億人いる。世界中の人々に力を与えるシンプルな世界金融インフラを構築する」。ザッカーバーグの狙いは、新興国の低所得層などに決済や送金の手段を提供することだった。

しかし、これが世界の金融当局の激烈な反応を生む。フェイスブックは当時、20億人を超える利用者を抱え、リブラの運営組織にはクレジットカード大手のビザやマスターカードなど名だたる企業が参加を決めていた。決済や国際送金などで、既存の銀行システムに対抗する存在になり、ドルやユーロと並ぶ「通貨圏」を形成する可能性もあった。

「プライバシー、マネーロンダリング、金融の安定性に深刻な懸念がある」

「金融サービスをする上で、規制の外で発展していくことは問題外だ」

「新たな世界通貨」が国際金融の攪乱要因になるとみた米連邦準備制度理事会（FRB）や欧州中央銀行（ECB）のトップらが一斉に懸念を表明した。国家が管理する通貨とは違うお金が大量に流通するようになれば、中央銀行の金融政策が効きづらくなる恐れがあった。当局の監視の目が届かない資金移動は、資金洗浄や不正送金の温床にもなりかねない。通貨に関する国家の主権が脅かされる、と懸念を示す大臣もいた。国家の拒否反応は強烈だった。

向こう見ずのフェイスブックらしい行動ではあった。しかし、リブラは国家による金融システムを牛耳る国際金融マフィアの虎の尾を踏んでしまった。

「営利目的の金融システムを運営しようとする考えは傲慢であり、フェイスブックは危険だ」

米議会の公聴会に呼び出されたフェイスブックのリブラ事業責任者、デビッド・マーカスは議員から集中砲火を浴びた。マーカスは「規制上の懸念に完全に対処し、適切な承認を得るまでリブラは提供しない」とたちまち後退を余儀なくされた。国家による激しい拒絶反応に、運営組織への参加を表明していた大手企業は次々と離脱していった。

さらに米議会はCEOのザッカーバーグも公聴会に呼び、吊るし上げた。

「利用者は世界人口の3分の1以上とあまりに巨大で、法律を超越した存在だと思っているのではないか。あなたの計画に、私たちが重大な懸念を抱くのは当然です」

公聴会の冒頭、議員はそう言ってザッカーバーグに先制パンチを食らわせた。ザッカーバーグはダークスーツにえんじ色のネクタイ。Tシャツに短パン、サンダルという「お気に入りスタイル」とはかけ離れた姿だ。彼は緊張気味に反論する。

「人々はあまりに高いコストを支払い、家族にお金を送るためにあまりに長い間待たなければなりません。現在の制度は、彼らを失望させている。金融業界は停滞しており、必要とするイノベーションをサポートするデジタル金融システムも存在しない。この問題は解決できるし、リブラはその手助けをすることができます」

ザッカーバーグが強調したのは、リブラは米国の金融支配を強化するものであり、中国とのデジタル通貨の競争に勝つのにもリブラが必要だ、という点だった。だが、この主張はほとんどの議員に響かなかった。「破壊者」ザッカーバーグに対する議員の不信感が根強かったからだ。

「フェイスブックは長い間、素早く動き、破壊することを繰り返してきた。我々は国際通貨システムを壊したくない。リブラの発行を一時停止すると確約してください」

公聴会のスクリーンに、ザッカーバーグの肖像が印刷された紙幣「ザック・バック」が映し出される一幕もあった。議員たちは「ザッカーバーグの通貨」を恐れていた。

「私はフェイスブックを信用できないし、米国民がそれを信用するとは思えない」

「なぜ私たちが稼いだお金をあなたに預けなければならないのか」

フェイスブックは国家に等しいと考えている議員もいた。

「なぜ、議会や国民は世界最大の銀行を作るというあなたを信用しなければならないのか？それは影の独立した政府に等しい。なぜそんな必要があるのか？」

最終盤、ザッカーバーグが強く反論する場面もあった。議員がこう尋ねたときだ。

「あなたはフェイスブックを単独で支配し、あなたが指揮をとることで、事実上の政府のような役割を担っている。あなたにはどれだけの富と権力があるのか」

彼は真剣な目つきで議員に訴えた。

「フェイスブックの株の99％は慈善事業に寄付すると約束しました。だから、金儲けが主な動機ではないことは確かです。私は今ある地位を利用して、世界をより良くする、人々の生活を向上させると思うことをしようとしているのです」

6時間におよぶロングラン公聴会では、数十人の議員が入れ替わり立ち替わり、厳しく追及。そこにはフェイスブックへの根強い不信感と警戒感が渦巻いていた。「国家を怒らせると怖いな」。議員の前で縮み上がるザッカーバーグを見て、私はそう思った。

ハードルは高いにしても、リブラの目的自体は素晴らしいし、優れたアイデアだったと思う。「ナイーブ」なザッカーバーグは自身の影響力の大きさを過小評価し、国家への根回しが不十分だったのだろう。その結果、批判を浴び、引きずり下ろされた。ただ、国家さえ震え上がらせる、その挑戦心は素晴らしいとも思う。彼の打ち出す取り組みはいつも、賛否両論を呼ぶ。それは本当に新しいことをやろうとしているからだろう。

その後、リブラは名称変更などで何度か刷新を図ったが、2022年、運営組織は関連資産を米銀行系に売却すると発表。計画は立ち消えになった。「ザッカーバーグを知る人たちによると、彼の関心はハードウェア、ゲーム、メタバースのリブランディングにあり、暗号通貨にはないという」。当時のワシントン・ポストの報道はザッカーバーグの変わり身の早さを伝えていた。

「新通貨」構想は国家の激しい反発で、3年足らずで挫折した。だがそれは無駄ではなかったかもしれない。リブラをきっかけに国家の危機意識が高まり、中央銀行によるデジタル通貨(CBDC)発行に向けた動きが世界で本格化したという見方もある。

素早く動き、失敗したらすぐに引き揚げる。リブラ騒動は、そんなフェイスブックの変わり身の早さと、国家の動きの遅さを浮き彫りにした気がした。

「人間を登録する電話帳」

フェイスブックはSNSそのものではなく、「ターゲティング広告」で収益の大半を稼ぐ。だが、フェイスブックがどうやって稼いでいるのか、その仕組みがどれほどすごいのかを理解している人は少ない。フェイスブック草創期を描いた『フェイスブック若き天才の野望』をもとに、その革新的な手法と威力を解き明かしたい。

「かつてのような、ユーザーが訪れたサイトからその属性を推測し広告を出すというアプローチは、本質的には当て推量の域を出ない。結果として、大量の広告が狙った層とは無関係の場所に表示されることになった。クッキーなどを利用した推測は往々にして性別さえ正しく推測できなかったのだ」

「それに対してフェイスブックは、たとえば『チアリーディングに関心がある女子学生』だけをターゲットに広告を表示することを保証できたし、実際に何回広告を表示したかという情報まで提供できるのだ。これは、実名制による確実な身元情報と、その人に結びついた膨大な個人情報が組み合わさることで、それ以前は不可能だったユーザーへの深い洞察を提供することができるということを意味する」

ザッカーバーグはフェイスブックを「人間を登録する電話帳」にたとえた。その広告精度の高さは、新規株式公開に先立つ投資家向け資料でこう説明されている。

「フェイスブックの広告は、人々の『リアル・アイデンティティー』を利用することにより、正確で的を絞ったキャンペーンで業界平均を大きく上回る優位性を持っている」

「いいね！」履歴で人格がわかる

フェイスブックの「いいね！」履歴は、人間よりその人の人格を正確に把握する――。2015年、英ケンブリッジ大と米スタンフォード大の研究者がこんな論文をまとめた。

気に入った投稿などに押す「いいね！」ボタン。研究では、開放性、誠実性、外向性、協調性、情緒の不安定性について、何に「いいね！」を押したか、参加者の自己評価と他者の判断がどの程度一致するかを調べた。「他者」とは友人や配偶者、仕事仲間、そしてコンピューターだ。

結果は驚くべきものだった。コンピューターの診断は、「いいね！」が増えるほど精度が高まり、10回分でコンピューターの方が同僚より正確に性格を言い当てることができた。さらに70回分で友人、150回分では親きょうだい、300回分では配偶者をも上回ったのだ。

論文によると、「開放性が高い人は、サルバドール・ダリ、瞑想、TEDトークを好む傾向があり、外向性が高い人は、パーティー、リアリティ番組のスター、ダンスを好む傾向がある」という。そして論文は、シンプルだが恐ろしい結論を導き出す。「コンピューターがデジタルフットプリント（足跡）に基づいて判断した人の性格は、親しい人が判断した場合よりも正確で有効である。この結果は人の性格を自動的に予測することが可能であることを示唆している。コンピューターが性格の判断で人間をさらに決定的に凌駕することになるかもしれない」

研究者はこのことに深い懸念を抱いていた。

「人格に関する情報は、人々を操作し、影響を与えるために使われることもある。政府、インターネットプロバイダ、ウェブブラウザー、ソーシャル・ネットワーク、検索エンジンなどが、身近な家族よりも正確に自分の性格を推測できると知れば、人々はデジタル技術に不信感を抱いたり、拒絶反応を示すだろう」

「いいね！」はさらに数段、機微な個人の特性も正確に言い当てられるとの論文もある。2013年、先の論文にも名を連ねるマイケル・コジンスキーらが発表した内容も衝撃的だ。

「フェイスブックの『いいね！』を使えば、性的指向、宗教的・政治的見解、性格特性、知能、年齢、性別など非常に機微な個人特性を自動的、かつ正確に予測できる。同性愛者と異性愛者は88％、アフリカ系アメリカ人と白人は95％、民主党支持者と共和党支持者を85％の確率で正確に判別することができた」

フェイスブックのもつ深すぎる個人情報は、２０１８年、大きな問題を引き起こす。研究目的で集められた利用者情報が、２０１６年米大統領選でトランプ陣営の選挙コンサルタントを務めた英データ分析会社「ケンブリッジ・アナリティカ」に売却され、選挙対策に利用されたとの疑惑が浮上。フェイスブックは最大で約８７００万人分の利用者情報が同社に不正に渡った恐れがあると発表し、ザッカーバーグは謝罪に追われた。

この問題によって、膨大な個人情報を使ったターゲティング広告にも批判の目が向けられたが、今もその仕組みは健在だ。米ソフトウェア会社幹部は米議会の証言で、フェイスブックのターゲティング広告は「個人情報の搾取」だと批判しつつ、「ターゲット広告を選ばない、というのは、片腕で競争するようなもの。たとえ倫理に反していても、多くの企業がこのような広告をせざるを得ない」と複雑な胸の内を明かしている。

対立を煽る「壊れたインセンティブシステム」

「フェイスブックが提案するコンテンツをクリックするだけで、左翼側では３週間以内に共和党員を殺そう、右翼側では数日以内に陰謀論の『Qアノン』にたどり着き、数週間後には大量虐殺──フェイスブックが増幅し、増幅し、増幅しているのです」

2021年、フェイスブックの内部告発者として米議会公聴会で証言した元社員フランシス・ハウゲン。誤情報対策などを担当していた彼女は、フェイスブックの根本的な問題を追及し、ただそうとしていた。それは過激な投稿ほど利用者の目に留まりやすくなり、拡散されやすいという「AI＝アルゴリズムの罠」といえるものだった。

フェイスブックの表示システムを熟知する彼女は、過激化の過程をこう解説する。

「インスタグラムのコンテンツを見ると、フェイスブックはあなたに関するちょっとしたデータを学習します。そして、どのようなコンテンツを好むのかを知り、反応する可能性が最も高いコンテンツを表示します。少年少女なら、フェイスブックが与えるコンテンツに触れるだけで、健康的な食事から拒食症のコンテンツにたどり着きます」

彼女によれば、フェイスブックは「アルゴリズムのなかに削除すれば誤情報やヌードが大幅に減る項目があることを知っている」が、「利益が減るので意図的に削除しないことにしている」という。「なぜそうしないのか」。議員の問いに、ハウゲンは答えた。

「より多くのコンテンツを生んでもらうためです。ドーパミンを刺激すれば、いいね！

やコメント、シェアという形で、私たちにより多く作らせることができるからです」

彼女は「フェイスブックは私たちの安全よりも、自分たちの利益を優先している」と断じ、こうした仕組みによって、サイト側にも過激なコンテンツを作るインセンティブが働いていると指摘した。

「ネガティブなコメントの多いコンテンツを作れば、クリックされる可能性が高くなり、そのやり取りでサイトが収益を上げられる可能性が高まります。つまり、サイトにとっては意見が分かれたり、偏ったりするコンテンツを作るインセンティブが働くわけです。アルゴリズムも、反応を得られる可能性が高ければ、より多く表示しようとします」

彼女はこれを「壊れたインセンティブシステム」と呼び、修正を訴えた。

一方、ザッカーバーグはハウゲンの主張を全面的に否定している。

「私たちが安全よりも利益を優先しているという非難は真実ではありません」

「利益のために人々を怒らせるようなコンテンツを意図的に押し付けるという主張は、まったく論理的ではありません」

その後、フェイスブックの利用者は初めて減少する。1日あたりの利用者は、2021年12月末時点で3か月前より100万人少ない19億2900万人だった。

若者のIT依存とシリコンバレーの欺瞞

ハウゲンの告発は別の問題を浮き彫りにした。「若者とＩＴ」だ。彼女は若者がインスタグラムに熱中するうちに自己嫌悪に陥り、自殺願望さえ抱くことに警鐘を鳴らした。

しかしその裏で、ＩＴ機器やサービスを開発するＩＴ企業の社員は、わが子をスマホなどから遠ざけようとしている。それはシリコンバレーの欺瞞と言ってもいい。

「スティーブ・ジョブズはローテクな親だった」——２０１４年にニューヨーク・タイムズの記者が書いた記事は今も語り継がれる。

「２０１０年の終わり頃にｉＰａｄの欠点を書いた記事について叱られた後、ジョブズが私に言った言葉ほど衝撃的なものはなかった」

「じゃあ、あなたの子どもたちはｉＰａｄが大好きなんですね？」私は話題を変えようとして尋ねた。彼はこう答えた。『まだ使っていない。子どもが家で使うテクノロジー（ＩＴ）を制限しているからね』」

「それ以来、私は多くのＩＴ企業の経営者やベンチャーキャピタリストに会ったが、彼らは子供のスクリーンタイムを厳しく制限し、学校のある夜にはすべての電子機器を禁止し、週末には時間制限を課していると言った」

子どものIT依存を避けるため、IT企業のトップであるジョブズですら自社製品の使用を制限している――この逸話はそうした形で広まっていった。マイクロソフト創業者のビル・ゲイツも子どもが10代になるまで携帯電話を禁止していたという。

ニューヨーク・タイムズは2018年にも、IT企業が集まるシリコンバレーの親たちの実態を暴く記事を掲載した。記事ではこう伝えている。

「シリコンバレーの親たちは、子どもをスクリーンから遠ざけることにますます執着している。少しのスクリーンタイムでも深い中毒性があるため、子供がきらびやかな長方形(スクリーン)に触れることも、見ることもないのが最善だと考える親がいる」

「(シリコンバレーで)スクリーンタイムは子どもにとって悪いものだというコンセンサスが生まれつつある。親は乳母(子守)に、携帯電話、タブレット、コンピューター、テレビを常にオフにしておくように頼んでいる」

子どもの前でスマホを使用してはいけない「携帯電話使用禁止契約書」を結ぶよう子守に求める親もおり、IT企業に関係する人ほど使用を厳しく制限する傾向があるという。

元フェイスブック社員で、ザッカーバーグの慈善団体で働く女性はニューヨーク・タイムズの取材で次のように語ったという。

「携帯電話には悪魔が住んでいて、子どもたちに大混乱を引き起こす」

2021年、この告白はにわかに重みを帯びた。フェイスブックが若者へのSNSの中毒性を知りながら、それを放置したとハウゲンが内部告発したからだ。

ハウゲンによると、フェイスブックは成長を続けるために若年層の利用者を獲得することを重視し、自社サービスへの依存度を高める作りにしている。それによって10代の若者がインスタグラムに熱中し、「使うと気分が悪くなるのに、やめられない」状況が生まれているという。フェイスブックの調査では、インスタグラムの利用で10代少女らが自身の容姿を他人と比べて自己嫌悪感を強め、自殺願望につながる危険性が示されていたという。

この問題を取り上げた米議会の公聴会では、若者に人気のティックトックやユーチューブなどを含めたSNSの仕組みを問題視する声も専門家から上がった。

米議会では、子どもの「インフルエンサー」がおもちゃなどを開封する動画も、実質的な広告だとして問題視されていた。従来のテレビCMを見た後より、そうした動画を見た後のほうが親に購入をねだる傾向が強く、親が断るとかんしゃくを起こす可能性が高いという。ユーチューブの設計に携わったジョン・ゼラツキーらは著書『時間術大全』でＩＴ企業の内情をこう明かしている。

「テクノロジー企業は製品・サービスをユーザーに使わせることで利益を上げている。だからサービスを消火ホースから一気に飲ませようとする。あなたが今日（ネット動画などの）無限の泉をガマンするのが難しいなら、明日はもっと難しくなる」

「音楽や映画、ゲーム、ツイッター（現・X）、フェイスブックなどが競って顧客の注意を引こうとしている。技術が高度化するほど、時間と注意をますます奪っていくようになる。注意を（引くことを）めぐる競争が終わることはない」

６歳になる私の娘はユーチューブに夢中だ。ＩＴサービスがあふれる世の中で、全く見ない、使わないという選択は現実的には難しいだろう。子どものネットやSNSとの付き合い方をどうするか。親である私にとってもこの問題は重要な意味をもっている。

「キラー買収」を反トラスト法違反で提訴

「イエスか、ノーか、どっちなんだ」。２０２０年7月、ＧＡＦＡの４人のトップがそろって証言するという、異例の米議会公聴会。ザッカーバーグは議員から激しく問い詰められていた。議員らはフェイスブックによるインスタグラム買収が、ライバルになりそうな新興企業を抹殺するための「キラー買収」だったのではないかと疑っていた。その場合、反トラスト法（独禁法）に違反する可能性がある。議員は調査で入手したフェイスブックの内部資料をもとに、ザッカーバーグの「殺意」を自白させようとしていたのだった。

議員の追及に、ザッカーバーグは言葉に詰まりながら答えた。「モバイル写真の領域で成長していた彼らは競争相手でした――」。そこに議員が割って入る。

「あなたはCFOに、インスタグラム買収の目的は潜在的な競争相手を無力化することだと言っていたようですね。競争上の脅威を買収することは反トラスト法に抵触します」

議員側には証拠資料があるようで、取調官が容疑者を尋問するかのような追及が続く。ザッカーバーグは動揺の色を隠せず、言葉につかえながら答える。

「買収当時はインスタグラムが成功する保証はありませんでした。買収が大成功を収めたのは、私たちがインフラの構築や宣伝などさまざまなことに多大な投資を行ったからです。これは素晴らしいサクセスストーリーだと思います……」

ザッカーバーグの成長戦略が買収による規模拡大にあったことは疑いようがない。米非営利団体「アメリカン・エコノミック・リバティーズ・プロジェクト」によると、メタの買収企業数は18年間で100社近く、平均で年間5社という驚異的なペースだ。なかでも若い世代に人気の写真共有アプリ「インスタグラム」、LINEに似た対話アプリ「ワッツアップ」はいずれもメタの柱に育った。VR映像を見るヘッドセットを開発する「オキュラスVR」は、現在のメタバース事業の原型になった。

議員の「キラー買収」追及から約5か月後の2020年12月、フェイスブックに激震が走る。米連邦取引委員会（FTC）がインスタグラムとワッツアップの買収が反トラスト法に違反するとして、提訴に踏み切ったのだ。FTCは幹部の電子メールなど膨大な内部資料をもとに調査を進め、両社の買収には「抹殺の意思」があったと結論づけた。さらにインスタグラムとワッツアップ事業の売却まで要求していた。

FTCの訴状には、「買収好き」のザッカーバーグの姿が赤裸々に描かれていた。

ザッカーバーグはもともと、「競争するより買う方がいい」といった考えをもち、インスタグラム買収前、こう幹部に伝えていた。

「私の分析が正しければ、インスタグラムのようなアプリは、大きく成長することが予想されます。現在1500万人のユーザーを抱えているとしたら、今後1～2年で1億～2億人にすることができるかもしれない。私たちはこうした企業を買うことにオープンであるべきかもしれません」

「ビジネスはまだ始まったばかりですが、もし大規模に成長すれば、私たちにとって非常に破壊的な存在になる可能性があります」

買収を発表した日には同僚にこう伝えたという。

「新興企業について一つ言えることは、新興企業はしばしば買収できるということです」

次の標的、ワッツアップは当時、対話アプリの「リーダー」として台頭していた。焦りを募らせたザッカーバーグはまたも懸念を抱く。

「インスタグラムの買収で写真では先行していますが、メッセージではますます遅れをとっていると感じています」

そして2014年、ワッツアップを買収。訴状によると、社員たちは会社内で「次のフェイスブックに成長できた唯一の企業」の買収を祝ったという。

当局は、買収したデータ分析会社を自社の脅威になるアプリを探し出す「早期警告システム」としてフェイスブックが使っていたことも明らかにした。アプリの成長や人気を追跡し、買収の判断に利用していたという。

「フェイスブックと競合する企業が潰されず、成長できるようにしなければならない」

FTC幹部は提訴の声明で、その買収手法を強く批判した。

国家権力に事業売却まで踏み込まれたフェイスブックの反応も激しかった。

「反トラスト法は消費者を保護し、イノベーションを促進するために存在するのであって、成功した企業を罰するためのものではありません」

「当局は訴状の中で触れていないが、最も重要な事実は、これらの買収を数年前に認めていることである。政府は今になってやり直しを求めており、米国のビジネス界に『どんな取引（買収）も最終的なものではない』という冷ややかな警告を発している」

その後、首都ワシントンの連邦地裁はフェイスブックがSNS市場を支配しているとする主張の証明が不十分だとして、FTCの訴状を却下した。FTCは訴状を修正して連邦地裁に再提出し、裁判は継続されることになった。

強気で押し続けてきたメタの経営は2022年、減収減益が続く危機的状況に見舞われた。11月には全従業員の約13％にあたる1万1０００人超を解雇すると発表。コロナ禍でネット広告の需要と収益が増えたことで、今後も成長が加速すると思い込んだのがあだになった。ザッカーバーグは経営判断のミスを認め、謝罪。解雇された従業員向けの動画では、泣きそうな顔になっていた。

この年、過去に1兆ドルを超えていたメタの株式時価総額は一時２０００億ドル台まで落ち込んだ。一時は盛り上がった「メタバース」ブームも、急速にしぼんでいる。巨大ＩＴの一角から外れるか、踏ん張るのか。正念場を迎えている。

第4章　「最強企業」アップルの政治力と訴訟力

「いい仕事をした会社がイノベーションを生み出し、独占かそれに近い状態になると、製品の質の重要性が下がってしまう」――スティーブ・ジョブズ（アップル創業者）

10年後も変わらない「神」の威光

「神」が最期のときを過ごした自宅は、米カリフォルニア州シリコンバレーの閑静な住宅街の一角にあった。控えめだが美しい、瀟洒な造りの洋館。庭に植えられた木にはリンゴが実り、赤く色づき始めていた。大富豪が住んでいたと、一目で分かるような豪邸ではない。正確な住所を知っていなければ見逃してしまうだろう。シンプルな美しさを好んだアップルのカリスマ創業者、スティーブ・ジョブズ。その哲学を自宅からも感じ取ることができる。

ジョブズの自宅を訪れたのは、２０２１年10月5日。ジョブズが２０１１年に死去してからちょうど10年がたった、その日だった。「現代のレオナルド・ダ・ビンチ」とも言われたジョブズ。10年前、偉大な芸術家の死を悼み、この邸宅の周りには花束が供えられた。10年がたち、ジョブズの「威光」はどうなっているのだろう。そんな素朴な疑問から現地を訪れたのだった。

Stay hungry, Stay foolish（貪欲であれ。常識にとらわれず、むちゃであり続けろ）

ジョブズが２００５年、米スタンフォード大卒業式で述べた祝辞の一節はあまりにも有名だ。多くの人の心をつかんだのと同じように、この言葉は私の心にも響いていた。アップル信者でない私にも、その軌跡に触れたいと思わせる。死してなお、ジョブズは魅力的な人物だった。

タクシーを降りると、自宅近くにいた人物が駆け寄ってきた。家人からプライバシーを守るよう依頼された「警備員」だといい、身分と訪問の目的を聞かれた。警備員は家の写真撮影は禁止だと告げ、私たちがおかしなことをしないか目を光らせた。周辺にファンらしき人の姿は見られなかった。「今もここを訪れる人は多いのか」。そう警備員に尋ねると、彼は「多いね。報道関係者やアップルファン含めて」と答えた。この家を見に来るツアーバスもあるそうだ。10年経ってもまだ「神」の威光は衰えていないようだった。

創業の地であるジョブズの実家も訪ねた。何の変哲もない、ガレージ付きの白い平屋だが、このガレージがすべての始まりだったと考えると、感慨深いものがあった。

ジョブズの自宅から15分ほどの場所には「宇宙船」と呼ばれる巨大なアップル本社がある。ジョブズが存命中に直接関与した「最後の作品」ともいわれる。周囲を寄せ付けない巨大な円形の建物は、「秘密主義」で「世界最強」というアップルに相応しい威容を誇っている。

報道関係者がこの本社の敷地内に入ることのできる機会は多くない。年に一度、新型ｉＰｈｏｎｅの発表会が開かれる際は、招待された記者が敷地内に入り、ジョブズの名を冠したイベントホール「スティーブ・ジョブズ・シアター」で発表の模様を取材することができる。

２０１９年秋、私もｉＰｈｏｎｅ11のお披露目をそこで取材した。忘れられないのは、開場を待つ人々でごった返すロビーの人混みに、ドコモなど日本の大手通信会社の社長たちが普通に紛れていたことだ。日本では簡単に接触できない面々が、私のような記者と同じように開場を待っている。「日本の大企業の社長も、アップルの前では一取引先にすぎないのだな」。そう強く感じたのを覚えている。

世界中が注目する新型ｉＰｈｏｎｅの発表会を現地で取材できるのは、記者にとってはぜいたくな機会だ。日本は特にｉＰｈｏｎｅの利用者が多く、メディアの注目度が高い。発表会が始まると、シャッターチャンスを逃すまいと、ＣＥＯティム・クックらがスピーチする様子を何百枚も写真に収めた（いま思えば、２０１９年秋は貴重な直接取材の機会だった。その後、パンデミックですべての発表会が「デジタル開催」に切り替えられたからだ）。

ジョブズの死去から10年たったその日、ＣＥＯを引き継いだクックはツイッターにこんな投稿をした。

「情熱のある人は、世界をより良く変えられる」――ＳＪ

10年経ったなんて信じられない。今日も、そしてこれからもずっと、あなたを讃えています。

投稿には、生前のジョブズの言葉、映像をおさめた動画が添えられていた。それを見た私は、思わず涙ぐんでしまった。

「大人になると、世界はこうあるべきだと言われ、世界の中であまり壁にぶつからないように生きていくだけだと言われがちです。でも、ある単純な事実を発見すれば、人生はもっと広くなります。それは、あなたが人生と呼ぶ周りのものはすべて、あなたより賢くない人たちによって作り上げられたものだということです。そして、あなたはそれを変えることができるし、影響を与えることができます」

「アップルコンピュータを買う人は、単に仕事をこなすだけでなく、世界を変えようとする人たちだと思います。私にとってコンピューターとは、人類が生み出した最も優れた道具です。そして、私たちの心の自転車なのです」

やはりジョブズの言葉は胸に響く。なぜだろう。

創業のカリスマから卓越した経営者へ

アップルは1976年創業。「iPod」、「iPhone」、「iPad」など、世界を驚かせる画期的な新製品を次々と世に送り出してきた。その中心にいたのはいつもジョブズだったが、2011年8月、ジョブズの病気が悪化し、右腕として実務を仕切ってきたクックがCEOを引き継いだ。ジョブズはそれから約1か月後に56歳で死去。カリスマなき後の経営を不安視する声もあったが、クックは優れた経営手腕でそうした見方を払拭していった。

クックは様々な種類のiPhoneを投入し、利用者を拡大。2015年にはスマートウォッチ「アップルウォッチ」を発売、新たな市場を切り開いた。2022年には世界で初めて、株式時価総額が3兆ドルの大台を突破した。1社で当時の東京証券取引所1部全体の時価総額の半分近いという、とてつもない規模だった。

長年アップルのビジネスを見守ってきた米国のITアナリスト、ジーン・マンスターがジョブズとクックを比較し、興味深い人物論を語ってくれた。

「ジョブズの功績はパソコンを進化させ、iPhoneを生み出したことです。そしてもちろん、彼は私たちの生活の中でおそらく誰よりも、どんな宗教家よりも大きな影響力を持っていると信じられています。彼は『我が道を行く』タイプのリーダーでした。彼の在任期間には、他の人がどうしろと言ったかではなく、自分がどう世界を進歩させるのか、という大胆さがあったように思います」

「クックは信じられない結果をもたらしましたが、それとは違っていました。ビジネスをどう作り上げるかという点で、より体系的で、より慎重で、規律正しかった。すごい製品を作るペースはジョブズの頃ほど速くない。でも、ジョブズと違うのは、卓越したシステムを作り、それを拡大するプロセスを構築してきたことです」

「クックはジョブズではありませんが、イノベーションを推進しないわけではない。イノベーションの章は、今後5年の間に書かれるでしょう。アップルが今後5年間に何をするかによってクックの位置づけは大きく変わる。彼がより一層、優れた経営者になり、イノベーションを起こせるか。この問いに、次の5年で答えが出ると私は思っています」

最強ビジネスと秘密主義

アップルの2022年度の売上高は3943億ドル（約51兆円）、最終利益は998

億ドル（約13兆円）。稼ぎ頭はｉＰｈｏｎｅで、売上全体の5割、２０５４億ドル（約27兆円）を稼ぎ出す。10億人とされるｉＰｈｏｎｅの強固な利用者基盤を生かし、サービスでも収益をあげる体制を整える。基本ソフトｉＯＳで、独自の音楽配信「アップルミュージック」や動画配信サービス「アップルＴＶ＋」を展開。売上の2割はそうしたサービスの収入で、そこにはアプリを入手できる「アップストア」も含まれる。

他の3社と異なり、製品の売上が大半を占めるのがアップルの特徴だ。次の革新的な製品を生み出せるかが課題になっており、２０２３年6月には拡張現実（ＡＲ）と仮想現実（ＶＲ）を融合させたゴーグル型端末「アップル・ビジョン・プロ」を発売すると発表。クックは「コンピューターの歴史にとって新たな時代の幕開けだ」とぶち上げた。

いまＧＡＦＡでどの企業が一番強いかと聞かれたら、私は迷わず「現段階ではアップル」と答える。アップルほど「最強」の称号がふさわしい企業はない。ｉＰｈｏｎｅを中心とした、洗練され、高い機能をもつ製品群。価格交渉力を武器に製品を安く作り、高い値段で売るブランド力。ｉＰｈｏｎｅ上の音楽や動画配信などのサービスで稼ぐ力――強固なビジネスが投資家の金を呼びこみ、株式時価総額を膨らませる。

そうした「表」にみえる力に加え、政治やメディアに対しても隠然たる影響力をもつ。

秘密主義も徹底している。ジョブズ死去後のアップルの内幕を書いた『アフター・スティーブ』の著者、トリップ・ミックルはその徹底ぶりをこう書いている。

「現役社員も元社員もイタリアン・マフィアに似て、『沈黙の掟（オメルタ）』を厳格に守っている。クパティーノ（アップル本社）の境界をいったん越えたら、仕事について誰にも話さない姿勢を叩き込まれる」

「成功は秘密主義にかかっているという信念が共有されている。辞めたあとでも、記者に話した者は仲間はずれに遭う。解雇された者や、訴えられた者もいる」

シンプルで美しく、細かい部分まで配慮の行き届いたアップルの製品には感嘆させられる。しかし、それはアップルの一側面でしかない。アップルは取引先の中小企業、そして時には自社の社員にすら強権的な顔をみせる。ホワイトハウスや米議会、裁判所という国家権力に対してもしたたかに立ち回り、自らの要求を曲げることはない。

「世界最強企業」、アップルの政治力、市場支配力。美しい表の顔に隠れた、「裏の顔」をみていくことにしよう。

最強企業トップの巧みな政治力

「私たちの経済は今、世界で最も強い」——2019年11月、アップルCEO、ティム・クックはそう宣言した。傍らにいるのは米大統領のドナルド・トランプ。「彼を非常に尊敬している。偉大なビジネスマンだ」。トランプもクックを激賞した。世界最強国家と世界最強企業、そのトップ同士が互いを褒め合う光景は、米国の輝かしい未来を約束しているようにもみえた。

もっとも、クックの胸中には様々な思いが去来していたに違いない。

クックはIBMなどを経て1998年、アップルに入社。製品の生産管理などで頭角を現し、CEOをジョブズから継いだ後も業績を拡大させた。

2014年には同性愛者であることを公表、2016年大統領選ではトランプの対抗馬である民主党のヒラリー・クリントン陣営に多額の寄付をしていたことで知られる。IT企業が集まる米西海岸のシリコンバレーはもともと政治的にはリベラル色が強く、民主党との関係が深い。クックも同様にリベラルだとみられてきた。差別的な発言も多いトランプは、クックにとって肌合いのちがう相手だったろう。

しかし、クックは見事トランプの取り込みに成功し、直談判できる関係を築く。20

19年8月のトランプと記者団のやり取りは、2人の蜜月ぶりを如実に表していた。「アップルのティム・クックと良い関係を築いているようですね」。そう記者から聞かれたトランプはこう答えた。

「彼は私に電話をかけてくる。他の人はそうしない。他の人は高価なコンサルタントを雇うのに、ティム・クックはドナルド・トランプに直接、電話するんです。なかなかいない。米国の素晴らしい企業だから、彼を助けなければならないのです」

クックのトップ外交はアップルのビジネスに大きな果実をもたらす。当時アップルにとって大きな懸案だったのが、中国で生産するiPhoneが米政府の対中制裁関税の対象になっていることだった。アップルの売上の半分を超えるiPhoneに関税が発動された場合、価格が上昇し、販売減につながる恐れがあった。

クックはトランプに電話で直談判し、対中関税が発動された場合、アップルが韓国サムスン電子との競争で不利になると訴えたという。その訴えがトランプに響いた。米中両政府の交渉はアップルにとって有利な結果に落ち着き、関税発動を避けることに成功したアップルは、2019年10~12月期決算で過去最高の売上と最終利益を記録。アップルは、危機的状況をCEOのトップ外交で乗り切ったのだった。

クックのこうしたトップ外交は日本にも及んでいる。2019年12月の来日時には、巨大IT規制を検討する「デジタル市場競争本部」本部長である官房長官、菅義偉のもとを訪れ、会談した。アップルは菅の地元である横浜市に技術開発拠点を構えていることもあり、菅との関係は良好と言われる。「アップルはいつも菅さんを頼りにしている」(日本の政界関係者)との声もある。

2022年の来日時には首相の岸田文雄と会談。前述のようにアップルが神経をとがらせる日本の規制についても話題に上ったといわれる。

iPhoneの生産で依存する中国もクックは頻繁に訪問しているとされ、過去には中国国家主席、習近平とも面会している。政治家のように国家の首脳の間を行き来するクックの姿は、巨大になったアップルが国家に比肩する力をもった証しでもある。強大な経済力をもつ巨大企業は政治力を身につけ、最強の座を揺るぎないものにしている。

不発に終わった米議会の追及vsクックCEO

先に書いたとおり、フェイスブックのリブラ問題では、米議会の公聴会でザッカーバーグが議員から厳しく問い詰められ、リブラの発行にブレーキがかかった。フェイスブックの内部告発者も議会の公聴会で証言し、大きな話題を集めた。

米国は日本と比べて議会の力が強い。巨大ＩＴのＧＡＦＡでも、米議会からの公聴会への出席要請は無視できないため、結果、ＧＡＦＡ首脳らが渋々出席し、証言することになる。公聴会は、秘密主義のＧＡＦＡの生の声を聞く貴重な機会となる。

米議会は２０２０年７月、ＧＡＦＡの４人のトップがそろって証言する、極めて異例の公聴会を開いた。米議会は２０１９年から巨大ＩＴの独占問題に本腰を入れ始め、独自に調査を開始。巨大ＩＴ規制に向けた最終決戦の場として、公聴会を設定したのだ。

巨大ＩＴの王たちは、国家を代表する議員の追及にどう答えるのか――一大イベントに、全米の注目が集まった。

コロナ禍だったため、公聴会はオンラインによる開催となり、スクリーンに４人のＣＥＯが映し出される形で進められた。少し味気ないが、４トップがそろい踏みするのはこれまで見たことがなかっただけに、ＧＡＦＡウォッチャーとして私は１人、感動していた。

公聴会の冒頭、ＧＡＦＡ批判の急先鋒である民主党議員が激しい言葉を浴びせた。

「アメリカの民主主義は、常に独占的な権力と戦ってきました。過去にはマイクロソフトなどの独占企業に直面し、民間企業が経済や民主主義を支配しないようにするために行動を起こしました。今日、私たちは同様の課題に直面しています」

「デジタル経済の門番として、これらのプラットフォームは勝者と敗者を選び、中小企業をゆすり、競争相手を締め出す力をもっている。民間政府のような力をもっているのです。我々はオンライン経済の皇帝に頭を下げるべきではありません」

ＧＡＦＡの４ＣＥＯによる宣誓の後、いよいよ証言が始まった。

クックはダークスーツにグレーのネクタイ。冒頭からアップルが激しい競争にさらされていることを強調した。

「サムスン、ＬＧ、ファーウェイ、グーグルなどの企業は、異なるアプローチでビジネスを成功させています。私たちはどの市場でも、どの製品カテゴリーでも、圧倒的なシェアを持っているわけではありません」

アプリ企業の不満が根強い「アップル税」やアプリの審査など、議員が追及しそうなアップストアに関わる問題にも予防線を張った。

「大半のアプリ開発者は稼いだお金の１００％を手にすることができます。アップストアの10年以上の歴史の中で、手数料を引き上げたり、手数料を追加したりしたことは一度もありません。むしろ、サブスクリプションの手数料を引き下げたりしています」

表情は冷静で、時折笑みも浮かべるが、目はまったく笑っていない。だが、次の言葉を発した際は目が明らかにぎらついていた。

「私が今日ここにいるのは、（議会による）綿密な調査が合理的で適切だからです。私たちは敬意と謙虚さをもって臨んでいますが、事実については一切、譲歩しません。当初５００個だったアプリは今や１７０万個を超えました。アップルが門番だとすれば、私たちは門を大きく開けたのです。私たちはできる限りすべてのアプリをストアに入れたいのであって、入れないようにしたいのではありません」

議員らが追及したいのはアップルが支配する「アップストア」のルールとその運用に関する問題だった。アップルはこうしたルールを恣意的に運用しているとの疑惑が出ていた。クックは「すべての開発者を同じように扱っている」などと答えて議員の追及をかわした。

議員は、最大30％の手数料「アップル税」もやり玉に挙げ、「アップルの手数料引き上げを止めるものは何もないのではないか」と尋ねた。クックは「Ｓｉｒ（サー）」の敬称をつけて答えたものの、その中身は怒気を含んでいた。

「それには強く反対します。アプリ開発者はアンドロイドやXbox、プレイステーションでもアプリを作ることができます。開発者に対する競争があるのです。スマートフォンビジネスでは、ストリートファイトと表現してもいいほど、競争が激しいのです」

スマートフォンの基本ソフトはアップルとグーグルの寡占状態にある。「ストリートファイト」というのは、どう考えても言い過ぎだろう。

議員はその後も追及の手を緩めなかったが、クックは多くを無難にやり過ごした。この安定感こそが、ジョブズ死去後のアップルを支えてきたのだ。当日、私が書いた記事に、クックのコメントはほとんど載らなかった。巧みにかわし、言質を与えない。それこそがクックの真骨頂なのだ。

深すぎる中国依存、試される政治力

アップルと中国――世界で最も価値ある企業と共産党独裁国家のつながりは深い。そこにもまた、アップルの別の顔がある。安価に製品を作れることから、アップルは中国と密接な関係を築き、米中の2大経済圏をまたぐ強力なビジネスモデルを作り上げた。iPhoneなど製品の生産の多くを中国に依存し、その割合は9割超に上るという。

製品の販売先としても大きな位置を占め、中国を含む中華圏の売上は全体の2割。両者の深すぎる関係はメディアなどでたびたび、取りざたされてきた。

ニューヨーク・タイムズは2021年、アップルが中国の利用者情報を保管するデータセンターの管理権を中国政府に大きく譲り渡している、と報じた。アップストアでは中国当局の反感を買う可能性があるアプリを積極的に検閲しているという。中国は欧米企業に対し、中国での事業展開を支援する見返りに様々な要求をのむように迫っており、同紙は「クックが中国でビジネスを進めるために妥協した」と批判した。

米IT系ニュースサイト「インフォメーション」は、アップルが投資を通じて中国の技術や経済の発展に貢献することを約束する、2750億ドル（約36兆円）相当の「密約」を中国当局と結んでいたと、内部文書をもとに報じた。

報道によると、密約には中国メーカーの「最先端技術」開発を支援したり、中国メーカーの部品を製品に多く使ったりすることが盛り込まれている。大学との技術協力、ハイテク企業への投資も約束した。密約の期間は2016年からの5年間で、双方が異議を唱えない場合は1年間、自動延長されるという。

当時、アップルは中国の規制当局から様々な圧力を受けており、密約の裏には中国政府との関係悪化を食い止めようとするアップルの強い意向があったという。クックは何度も中国に足を運び、首相（当時）の李克強とも面会し、中国政府との関係強化に力を注いだ。

この記事を書いたインフォメーション記者のウェイン・マーは中国とアップルの関係について、数々の興味深い記事を書いてきた。２０２２年、私はマーに話を聞いた。マーは密約について「中国への大規模投資を約束するもの」だとし、アップルと中国の間には「アップルは製造ノウハウを中国企業に提供して成長を支援」し、「中国企業は非常に安く仕事を請け負うが、アップルから技術を学び、成長する」という互恵関係があると説明した。

米国と中国の覇権争いが激しくなっており、ｉＰｈｏｎｅなどの生産を中国に依存する危険性を指摘する声もある。これについてマーは「中国と同じレベルの仕事と労働者の量を提供できる国は他にない。中国国外で生産する場合であっても、結局は中国企業を使わざるを得ない。他国に生産を移転するのは無理だ」と言い切った。中国政府によるアプリの検閲についてはは「アップルは基本的に中国政府の言うことは何でも聞くし、それに対抗する力もない」のだという。

中国とアップルの蜜月関係が将来、壊れることもあるのだろうか。そんな私の問いに対し、マーは「どちらもそうならないことを望んでおり、そんなことが起きるとは思えない」と言った。

かつてアップルの中国事業に関わったアリゾナ州立大教授のダグ・ガスリーもマーと同様、「中国依存からの脱却は難しい」との見方を示した。「中国政府は外国の企業に対して中国に『貢献』するよう圧力をかけ、依存度が高まるほど要求をのまなければならない。アップルは中国のサプライチェーンに依存しすぎて離れられなくなっている」という。

ガスリーによれば、ｉＰｈｏｎｅなどを中国で生産することで、最先端のノウハウも中国側に流れているという。「中国メーカーの多くはアップルと仕事をすることを望む。優れた知識やノウハウが得られることを知っているからだ。結果的に、アップルやテスラは中国メーカーを強力にする手助けをしていることになる」。

米中対立が激化する中、両者の深い関係に今後、厳しい目が注がれることもあり得る。巨大な「中国リスク」を抱え、両大国をまたにかけたクックの政治力が試されることになりそうだ。

ゲーム企業の反旗と法廷闘争

アップルと他のGAFA3社の違いは、アップルはiPhoneなど製品の販売が主力ビジネスであるということだ。日本のスマートフォン市場では5割という圧倒的なシェアを誇るiPhoneだが、世界シェアでみると、少し景色が変わる。世界シェア首位の常連は韓国サムスン電子で、中国メーカーの台頭も目立ち、アップルは2位や3位に甘んじている。

ところが、スマートフォンなどモバイル向け基本ソフト（OS）になると、途端に支配力が増す。スマホOSの2大勢力はグーグルのアンドロイドと、アップルのiOS。米国でiOSのシェアは6割で、ここでのアップルの振る舞いが問題視されている。

本書で何度か触れてきたが、アップルのビジネスで独禁法上、最大の問題になっているのが、iPhoneでアプリを入れる際に使う「アップストア」だ。アップルはアプリ企業から最大30%の手数料、「アップル税」を徴収しているが、確実に徴収するため、自社の課金システムの利用をアプリ企業に義務づけている。

高額手数料と強固な徴税システム――くすぶり続けていたこの問題が一躍注目を集め

たのは2020年、人気ゲーム「フォートナイト」を配信する米エピックゲームズがアップルに反旗を翻し、アップストアの仕組みが反トラスト法違反にあたるとして提訴した時だった。この裁判の過程で、私はアップルの強力な訴訟能力を思い知らされることになる。少し長くなるが、振り返りたい。

2020年8月、エピックは周到な計画を立てて、アップルに奇襲をかけた。アップルの審査の裏をかく形で、突如、独自の課金システムを導入したのだ。これによってアップルへの手数料支払いを回避し、利用者が払う料金を減らす狙いだった。激怒したアップルは「エピックは不幸な一歩を踏み出した」と声明を出し、即座にフォートナイトの配信を停止する。間を置かずにエピックは反トラスト法違反でアップルを提訴し、両社は法廷闘争に突入した。

「反アップル」の狼煙を上げたエピックは、アップルのCMとして名高い「1984年」のパロディ動画を流す。「1984年」は当時、弱小勢力だったアップルを邪悪な巨大企業に立ち向かう英雄として描いたCMだったが、その立場を逆転させ、アップルを邪悪な支配者、自らをそれに立ち向かう反逆者として作り替えた。タイトルは「ナインティーンエイティフォートナイト」。動画では、クックのようなメガネをかけたリンゴが演説をするスクリーンに、エピックのキャラクターがハンマーを投げつけて破壊。最後にアップル支配を止める闘いに加わるよう、キャッチコピーが流れて終わる。

訴状でもエピックはアップルを痛烈に批判した。

「1984年、アップルは家庭用コンピューターであるマッキントッシュを発売、コンピューター市場を独占していたIBMを打ち破る革命的な勢力とされた。2020年になると、アップルは市場を支配し、競争を遮断し、イノベーションを阻害しようとする巨大企業として、かつて自身が激しく非難していた存在になっている。アップルは、かつての独占企業よりも規模が大きく、強力で、悪質だ。その規模と影響力は、歴史上のあらゆるITの独占企業をはるかに超えている」

反訴したアップルも本性をむき出しにしてエピックを激しく批判した。

「エピックは自らを現代のロビン・フッドのように描いているが、アップストアから得られる莫大な価値に対して何も支払わないことを望んでいる。アップルの経費でエピックの懐を潤すことを要求している」

「アップルのルールを無視し、手数料を横取りするもの。これは単なる窃盗だ」

激しい批判の応酬に、両社の法廷闘争は泥沼化することが決定的となった。奇襲をかけたエピックのやり方が正しいとは思わないが、ゲーム会社が巨大企業のアップル相手にどこまで戦えるのか、見ものだった。

訴訟から見えた最強企業の凄み

裁判が動き出したのは2021年5月。カリフォルニアの連邦地裁で、両社のCEOが証言する裁判が開かれ、裁判官の前で両社が舌戦を繰り広げた。

最大の見せ場は、アップルCEO、ティム・クックの証言だった。裁判官は、アップルのアプリ課金のあり方についてクックを鋭く追及した。ざっと再現してみよう。

裁判官：課金による収入のかなりの部分がゲームからきていますね。

クック：アップストアの収入の大半はゲームからのものです。

裁判官：利用者が選択できるようにすること、より安価な（課金の）選択肢をもてるようにすることに、何か問題はあるのでしょうか。

クック：利用者はアンドロイドモデルかiPhoneか、という選択をしていると思います。iPhoneにはある種の理念が込められています。

裁判官：しかし、利用者がより安く手に入れたいと思ったとき、その選択肢をアップルが彼らに与えることに何か問題はあるのでしょうか。また、ゲームアプリ（企業）が支払う金額が不釣り合いに大きいようにみえます。アップルはゲーマーを利用して利益を得ているだけに思えます。

クック：私はあなたとは違う見方をしています。私たちはストア全体で商取引を生み出していると思います。

裁判官：アプリ課金には競争がありませんよね。

クック：ソニーのプレイステーションやニンテンドースイッチで購入できます。

裁判官：（一部の）手数料を値下げしたのは、競争の結果ではありませんでしたね。

クック：もし私たちが手数料を市場（水準）以上に設定していたら、開発者は我々のためにアプリを開発してくれないですよね。大きな競争がある、ということです。

裁判官：アプリ開発者を対象とした調査によれば、39％がアップルの配信サービスに不満をもっていると答えています。この数字が正しければ、開発者の懸念を取り除くために行動を変えなければならないでしょう。あなたがそのプレッシャー、競争を感じているようには見えないのですが。

クックは裁判官の追及を巧みにかわし、証言を終えた。だが、この裁判官とのやり取りは、アップルの訴訟戦略に大きな影響を与えたようだ。アップルは、判決を待たずに、裁判官が突いた「弱点」の改善に動き出した。

アップル側は裁判官の質問から、①アップストアにほかの課金の選択肢がないこと②アプリ企業が利用者に通知するのをアップルが制限していること――に対し、何らかの是正命令が出る可能性が高いと判断したようだ。

８月、アプリ企業が利用者に対し、別の決済手続きをメールなどで通知しやすくするといったストアの改善策を発表。判決に先手を打つ形で、②の弱点を補強した。

９月には、動画や音楽、新聞、雑誌などを閲覧するアプリ（「リーダーアプリ」）について事実上、アップルのシステムを通さない課金を認めるルール変更を実施すると発表し、①の弱点も手当てする姿勢をみせた。このルール変更によって、一部のアプリは自社のウェブサイトでの課金に利用者を誘導できるようになる。アップルの課金システムを通さないため、アプリ企業は最大30％の「アップル税」支払いも回避できる。アップルが大きく譲歩したとも受け取れる内容だった。

この件は、日本の公取が独禁法に違反する疑いがあるとみて調査していた案件だった。アップルが自主的に改善策を示したため、公取は調査を終えた。アップルのルール変更は全世界で適用される。日本の独禁当局がアップルにルールを変えさせた――「金星」とも言える結果に、公取の評価は高まった。

ただ、エピックの訴訟を追っていた私には、アップルは別次元で動いているようにみえた。アップルの最大の目的はエピック訴訟に勝つこと。だとすれば、公取が引き出したルール変更もその駒の一つにすぎないのではないか――。

公取がこの件の調査を開始したのは2016年。5年も経っていたにもかかわらず、アップルが突如、この件を持ち出した理由は、エピック訴訟の弱点を補強するためではないのか。であれば、公取は、アップルの訴訟戦略に利用されたことになる。

その後、公取の前委員長、杉本和行は月刊誌『文藝春秋』に「アップルとかく戦えり」と題して寄稿。世界最大の企業の問題行為を止めさせたとして公取をたたえた。これを読んだアプリ業界関係者は「公取はアップルに利用されただけ。本気でこれを書いているのか……」と嘆いた。

アップルは本当にしたたかだ。公取が引き出したルール変更は、アップルの課金収入への打撃を最小限に抑えるように「設計」されていた。アプリ企業側によると、ルール変更の対象になったリーダーアプリの多くはすでに、実質的に外部で課金できる環境を作り上げており、変更の恩恵は小さかった。一方、アップルの手数料収入の7割近くを占めるとされるゲームアプリはルール変更の対象になっていなかった。「ドル箱であるゲームアプリを避けたルール変更」。アプリ業界の見方は冷ややかだった。

裁判で勝つためにあらゆる資源を使い、規制当局も手駒として使う。改善したようにみえて収益へのダメージは最小限——一連の動きを見て、最強企業アップルの恐ろしさが分かった気がした。

米連邦地裁vsアップルの最終勝者

判決を出す前に次々と改善策を示すアップル。判決を書いていた連邦地裁判事はさぞ焦っただろう。アップストアの欠陥を指摘しても、アップルが先回りして打ち出した改善策によって、判決そのものが無意味になる恐れがある。

ところが、2021年9月に連邦地裁が出した判決はアップルの弱点を鋭く突いていた。アップルが「消費者の選択を不当に妨げている」とし、アプリ企業が自社サイトのリンクをアプリに載せることを制限するアップルのルールを見直すよう、命令したのだ。少し分かりづらいが、要するに判決はこう言っていた。「アップルはドル箱であるゲームアプリについても『アップル税』を回避できる道を作りなさい」。

この命令が発効した場合、アップルの課金モデルが大きく揺さぶられるのは必至だった。米調査会社センサータワーの推計では、アップルは2020年度、ストアから約200億ドル（約2・6兆円）もの手数料収入を得ている。ゲームを含め多くのアプリ企業が手数料を回避できるようになると、毎年数十億ドルが失われるとの予測もあった。判決が突いた一穴から、ストアのビジネスモデルが崩れる可能性があった。

もっとも、アップルは、10項目中9項目で有利な判決を勝ち取り、「負けた」のは1項目にすぎない。判決は「アップルが独占企業であると結論づけることはできない」と断言、「成功は違法ではない」とまで言っていた。アップルは「判決はアップルにとって大きな勝利」とする声明を出し、勝ち誇った。裁判所が独占企業でない、と判断した点は、各国の独禁当局から標的にされているアップルにとって大きかっただろう。

しかし完璧主義のアップルにとっては、1敗さえ許しがたかったようだ。アップルにとって不利な裁判所命令が発効されるのは90日後の12月。アップルは裁判所命令の発効を食い止めようと、再び動き出した。地裁判決を不服として控訴し、命令の発効を、控訴裁判の結果が出るまで一時停止することを求めたのだ。

この要求を受けて連邦地裁が開いたヒアリングでは、アップル側の弁護士と判決を出した裁判官が鋭く対立。裁判官は「問題は、あなたがたが命令発効まで事実上、何年もかかるような要求をしているということだ」と厳しく批判した。

アップルの弁護士も負けずに訴える。「はっきりさせておきたいのは、アップルがもしこれらの変更を強制的に実施することになった場合、プラットフォームを混乱させるということです。消費者に害を与え、開発者にも悪影響を及ぼす。これは事実であり、起こりうることです」。

連邦地裁が出した結論は当然、要求の「棄却」だった。

だが、それであきらめるアップルではなかった。発効まで１か月を切った11月、今度は控訴裁判所に対し、地裁命令の一時停止を求めたのだ。

要請書面の一番上には「12月８日までの対応を要請」と記され、９日の命令発効を何としても食い止めるという意思が表れていた。アップルは自らのビジネスを守るため、連邦地裁さえ打ち負かそうとしていた。

結果は——またもアップルが勝利した。命令発効前日の12月8日、控訴裁判所は連邦地裁の判断に疑問を示し、アップルの要請を受け入れた。地裁命令の発効停止を認めたのだ。

「アップルは連邦地裁の判断に重大な疑問が生じたことを少なくとも証明した」

アップルはエピック訴訟を9勝1敗ではなく、全勝に近い形で切り抜けた。

土壇場の勝利に、アップルは声明で勝ち誇った。

「我々が懸念しているのは（命令による）変更がプライバシーやセキュリティーに関する新たなリスクを生み、アップストアの利用者体験を破壊してしまうことです。裁判所がこの停止を認めてくれたことに感謝したいと思います」

2023年、控訴裁判所は連邦地裁の判決を支持する判断を出した。アップルに不利な裁判所命令はまだ残されており、アップルは最高裁まで争う構えをみせている。

訴訟を見守って何より強く感じたのは、アップルの強力な訴訟能力と勝利への強い執念だった。米法曹関係者によると、アップルの弁護団は超一流事務所の弁護士からなる「オールスター軍団」だったという。そうした弁護士の時給は2000ドル（約26万円）を超えるとされ、巨額の弁護士費用がかかっているとみられる。世界屈指のIT製品とそれが生み出すカネ。そして、強力な政治力、訴訟能力。あらゆる力を兼ね備えたアップルに、国家がつけいる隙はあるのだろうか。

第5章　「テクノロジー・ゴリラ」アマゾンの支配力

「アメリカ人の80％は、アマゾンに好印象を持っています。アメリカ人がアマゾンよりも正しいことをすると信頼しているのは誰でしょうか？お医者さんと軍隊だけです」
――ジェフ・ベゾス（アマゾン創業者）

ネット通販市場のシェアは４割

「８００ポンド（重さ約３６０キロ）のテクノロジー・ゴリラ」

ネット通販で支配的な地位を占めるアマゾン・ドット・コムは、競合他社からそう呼ばれ、恐れられているという。「800-pound gorilla」は「支配的で巨大な存在」を意味する。米国のネット通販市場でアマゾンのシェアは４割。２位のウォルマートは約７％にすぎず、その差は大きい。ネットで商品を販売する場合、「ほかのサイトでは商売が成り立たず、事実上、アマゾンしか選択肢がない」（専門家）とも言われる。

アマゾンは1994年、ジェフ・ベゾスが設立した。オンライン書店として始まったが、豊富な品ぞろえと迅速な配送網でネット通販事業を拡大。あらゆるものを買える「エブリシング・ストア」へ発展させた。無料配送や動画配信の特典が受けられる有料会員サービス「アマゾンプライム」の会員は現在2億人を超える。

ベゾスは2021年、アンディ・ジャシーにCEOの座を譲り、自らは執行会長に就いた。現CEOのジャシーはハーバード大でMBA（経営学修士）を取得した秀才で、一時期は常にベゾスと行動を共にする「影法師」と呼ばれる役職を担った。クラウド部門を率いて世界トップシェアに育て上げ、ベゾスの後継者になった。

2022年の売上高は5140億ドル。日本円では約67兆円に上り、目を疑うほど巨額だ。米国の売上が多くを占めるが、日本も244億ドル（約3・2兆円）ある。

ビジネスの柱はネット通販事業で、売上全体の4割を占める。通販サイトの出店者から得る手数料などの収入も大きく、売上の2割に上る。クラウド事業AWSの売上は15%にすぎないが、多くの利益を稼ぎ出し、収益のもう一つの柱になっている。このほか、商品を検索した際などに表示される広告も急速に伸びている。

事業領域は広い。2021年には人気スパイ映画「007」シリーズを手がける米映画会社MGMの買収を発表、動画配信サービスを強化する。2017年には米国の高級スーパー、ホールフーズ・マーケットを買収し、食料品市場の開拓も本格化させている。

声で家電などを操作できるAI（人工知能）スピーカー「エコー」も販売。医療分野でも、オンライン診察事業やオンライン薬局を米国で展開する。

私自身、アマゾンのヘビーユーザーだ。本や日用品など1週間に1度はアマゾンで何かを買っている。プライム会員にもなっており、映画好きなので、動画配信サービスもよく使う。米国ではホールフーズでよく食料品を買っていた。配送が速く、低価格。一消費者の目で見ると、アマゾンは使わずにはいられないサービスを提供している。便利だから頻繁に使ってしまう。だが、その裏では出店者らが時に理不尽な要求を突きつけられている。

アマゾンで商品を検索し、カートにいれ、購入ボタンを押し、自分の家に荷物が届くまで、その裏側で何が起きているのか。そして、アマゾンの何が問題なのか。紐解いていきたい。

出店者の身を削る過酷な低価格競争

数あるネット通販モールの中で、アマゾンの低価格競争は最も過酷と言われる。

日本のネット通販関係者によると、アマゾンの商品画面は、同じ商品を出す出店者の価格情報が1ページに集められ、縦長で一覧できる特徴がある。その際、表示される順番は、出店者の価格や配送の速さなどをアマゾンが評価して決め、最上位の評価を受けた出店者が利用者の「カートボックス」に表示される。

利用者は表示されたものをそのまま買いやすい。そのため、出店者はカートボックスの獲得を巡って激烈な競争を繰り広げる。出店者によると、この競争には「限界ぎりぎりまで値段を下げ、利益を落とさないと勝てない」ため、低価格に設定せざるを得ない。

米議会の調査によると、アマゾンは競合他社のサイトを定期的に調べ、アマゾンの価格が競合サイトより大幅に高い場合、出店者に値下げ圧力をかけているという。常に最低価格をつけられるような「自動価格設定ツール」の利用も勧めているといい、米出店者団体からは「アマゾンは出店者が設定する価格の上限と下限をコントロールし、最終的な価格決定権をもつ」との声も上がる。

カートボックスを取るには低価格だけでも十分ではない。配送が遅いと上位に表示されないため、手数料を払い、アマゾンの物流サービスを利用する出店者が多い。

そうした条件をクリアしても、さらに難関が待ち受ける。出店者は商品によってはアマゾン本体とも競合する。巨大な購買力をもつアマゾンは商品を安く仕入れることができるため、「その商品を作っているメーカー以外、アマゾンに勝つのは無理」（出店者）という。

近年、アマゾンは検索結果などに表示する広告にも力を入れており、販売に関わる手数料や広告費を合わせると、売上の30％以上をアマゾンに支払う例もあるという。

「カートボックスを取るには、アマゾンに多くの手数料を払うなど、結局、出店者側が多くの費用を負担しなければならない仕組みになっている」

「出店者側は心の中ではアマゾンに依存せずに商売したいと思っているが、集客力が強く、速く配送できるので、アマゾンを選ばざるを得ない」

消費者にはうれしい低価格は、出店者たちが身を削って絞り出しているのだ。

「出店者は奴隷みたいなもの」

アマゾンが急速に規模を拡大できたのは、消費者と出店者が同時並行で増えていくその仕組みにある。消費者が集まれば、集客を目当てにした出店者が増える。出店者が集まれば、品ぞろえが豊富になり、また消費者が集まる。こうして拡大したアマゾン帝国で問題になっているのが、出店者や商品を納入する取引先に対するアマゾンの「いじめ」だ。

２０２２年秋、カリフォルニア州の司法当局は、競争法違反でアマゾンを提訴した。訴状には、出店者がアマゾンからどんな要求をされているかが赤裸々に記されている。

訴状によると、アマゾンは、競合他社の価格を監視し、他社が価格を下げればアマゾンも下げる、という価格戦略を採用。出店者に「自動価格変更サービス」を使うよう促し、アマゾン以外のネット通販サイトが提示する最低価格に常に一致するようにしているという。従わない出店者には、カートボックスから外すといったペナルティーが科される。カリフォルニア当局は、これが他の通販サイトが安い価格を提供することを妨げていると問題視した。

なぜ取引先はアマゾンの理不尽な要求に耐えているのか。別のネット通販事業者に乗り換えればよいではないか、と思う人もいるかもしれない。しかし、アマゾンへの依存度が高いがゆえに、出店者はそこから抜け出せなくなっている。

アマゾンの要求に応じる背景について、ある出店者は次のように語ったという。

「私たちは他に行くところがなく、アマゾンはそれを知っている。アマゾンから出店を停止されて売上の90%を失えば、ビジネスは成り立たなくなる。私たちはアマゾンから抜け出せない」

アマゾンの圧倒的な支配力を示す出店者の声もある。

「出店者は交渉力をまったく持っていない。すべてが『無条件に受け入れるか、やめるのか』。交渉力はすべてアマゾンにある」

出店者は報復を恐れ、不満の声さえ上げられないのだという。

「(問題があることを公に言えば)アマゾンは商品検索でその出店者の商品を見つかりにくくしよう、と言うかもしれない」

「私たちは(アマゾンの競合他社に)勝ってほしい。彼らはいじめっ子じゃないから」。そこまで言う出店者もいる。

当局は、アマゾンが納入業者と「最低マージン契約」を結んでいることも問題視した。アマゾンの利益が契約で定められた「最低マージン」を下回った場合、納入業者がその分を補塡するのだという。つまり、納入業者がアマゾンの利益を確保する義務を負うことになる。

家電製品を納入する業者は「ある商品でより安い価格を見つけた場合、アマゾンはその価格に合わせて自らの価格を下げる。次に、アマゾンの利益率を維持するために穴埋めを求められる」という。この業者は「補償金は払いたくないが、要求を拒否した場合のリスクが大きすぎるため、アマゾンの要求に従わざるを得ない」と証言したという。

こうしたアマゾンの要求が、ほかの小売業者に対して価格を下げようとする納入業者を減らし、価格の高止まりを招いていると当局はみている。カリフォルニア州司法長官は「アマゾンの市場支配が続き、アマゾンは出店者らにますます手に負えない要求をするようになっている」と厳しく非難した。

アマゾンはカリフォルニア当局の提訴に対し、声明で強く反発した。「司法長官は、小売業界を根本的に誤解し、アマゾンの取引慣行を誤解している。アマゾンは低価格を含め、お客様に最高のショッピング体験を提供することを目指している。もし司法長官が勝訴すれば、アマゾンはより高い、競争力のない価格を顧客に提示することを余儀なくされるだろう。それは消費者と出店者を傷つけるだけだ」

あなたはどちらの言い分が正しいと思うだろうか。安く買えるのなら、出店者や納入業者が苦しんでもやむを得ないのか——この問題はそんな問いを私たち消費者に投げかけている気がする。

日本の出店者も苦しんでいる状況は同じだ。ある出店者はこう言い切った。

「アマゾンは表向き『出店者のため』とか言うが、実際は向こうが親分、出店者は奴隷みたいなもの」

一通り話を聞いた後、この出店者が最後に語った言葉が、強く胸に響いた。

「安ければ確かに嬉しいし、返品でも何でも受けてくれるアマゾンは消費者にとっては素晴らしいかもしれない。でも、アマゾンが出店者をいじめればいじめるほど、出店者に関わる人たちも追い込まれていく。家族、親戚、身内の繋がりなどで、出店者と関係のある消費者もいるだろう。アマゾンの便利さは回り回って自分の首を絞めることになるのではないか」

私たち消費者はアマゾンで商品を安く買い、速く配送してもらい、その恩恵を受ける。しかし、便利なサービスの裏ではアマゾンの苛烈な要求に取引先が苦しんでいる。

米国では、公聴会の場を使って、当時のCEOベゾスに直訴した出店者がいた。その赤裸々なやり取りを振りかえってみよう。

米議会vs創業者ベゾス

２０２０年7月、ＧＡＦＡの４トップがそろって出席した公聴会。議員の最大の標的は、初めての議会証言となるアマゾン創業者、ジェフ・ベゾスだった。ベゾスは冒頭、自らの生い立ちや苦労話に触れつつ、アマゾンの正しさを力説した。

「母は17歳、高校生の時に私を産みました。父はキューバから単身渡米し、大学で母と出会い、私を養子にしました。私はウォール街での安定した仕事を離れ、うまくいかないかもしれないことを理解したうえでアマゾンを設立しました。郵便局まで荷物を運んでいたのが昨日のことのようです」

「お客様へのこだわりが成功の原動力であり、正しいことをすればお客様が気づくということを私は信じています」

「私たちが参入している小売市場は非常に大きく、競争は激しい。25兆ドルの世界の小売市場でアマゾンが占める割合は１％未満にすぎず、米国でも４％未満です。小売業には複数の勝者が存在する余地があるのです」

「20年前、私たちはほかの売り手をアマゾンに迎え入れるという決断をしました。アマゾンの強みと、出店者が提供する膨大な品ぞろえを組み合わせることで、お客様にとってよりよい体験になると考えたからです。幸いなことに私たちは正しかった。現在、アマゾンで販売する中小事業者は170万に上ります」
――アメリカン・ドリームを想わせる美しい物語。「ゾウアザラシのようにけたたましい声で笑う」ことで有名なベゾスだが、意外に低く、落ち着いた声だ。

ベゾスの公聴会出席を巡ってはアマゾンと議会が事前に激しい攻防を繰り広げていたようだ。ウォール・ストリート・ジャーナルによると、シアトルのアマゾン本社ではベゾスの出席を回避しようと何時間も会議が開かれ、最終的に出席を断るよう、首都ワシントンのチームに伝えられたという。議会側はベゾスが議会で証言するように圧力をかけており、アマゾンが要請に応じない場合、強制手段も辞さない構えだった。最終的に出席することで折り合ったが、議会関係者によると、アマゾンの傲慢さは4社の中でも際立っていたという。前述の通り、アマゾンは日本でも政府のヒアリング要請を断り、欠席したことがある。

公聴会でまず議員が追及したのは、アマゾンが出店者のデータを不正に使って自社ブランドの製品を開発したとの疑惑だ。この疑惑はウォール・ストリート・ジャーナルがアマゾンの元従業員らへの取材をもとに、アマゾンが出店者のデータを収集し、競合する製品を開発したと報じていた。議員がベゾスに問う。

「アマゾンは出店者のデータにアクセスし、利用することはありますか。イエスかノーかだけで結構です」

余裕の笑みを浮かべてベゾスは答える。

「重要なテーマとは承知していますが、その質問にイエスかノーで答えることはできません。ただ、自社ブランドのビジネスに役立てるために、出店者の特定のデータを使用しない方針であるとはお伝えできます。しかし、それが一度も破られたことがない、と断言はできません」

「ここで言えるのは一定の防止策を講じている、ということです。それについて従業員を教育しています。もし誰かが違反していることが分かれば、行動を起こすでしょう」

この件に関する質問が2度、3度と繰り返されたが、ベゾスは老獪な雰囲気を漂わせ、言質を取らせない。この議員とのやり取りは最後までかみ合うことなく終わった。

ベゾスは議員の追及をのらりくらりとかわしていたが、開始から2時間半が経過した頃、様相が一変する。

質問の順番が回ってきた女性議員が語り始めた。

「私たちは多くの中小企業に話を聞きましたが、彼らはアマゾンとの関係をいじめ、恐怖、パニックといった言葉で表現していました」

「ここで、妻であり母でもある中小企業の経営者の話を紹介し、この問題が実際に人々の生活にどのような影響を与えているのか、理解していただきたいと思います」

その直後、弱々しい女性の声が流れ始めた。異変が起きていると感じ、私は思わず身を乗り出した。

「私たちは、アマゾンのトップの本の売り手で、昼夜を問わず懸命にビジネスを成長させ、評価を維持してきました。このビジネスで3人の子どもと、90歳のおばあちゃんを含む、14人を養っています」

「私たちが成長するにつれ、教科書分野のアマゾンのシェアは縮小していきました。その報復として、アマゾンは私たちの販売を制限し始めました。半年で教科書分野の全商品の販売を組織的にブロックされました。私たちはこの10か月、1冊も売れていません」

「アマゾンは、なぜ私たちが制限されているのか、その理由を通知してくれませんでした。何の警告もありませんでした」

「これは出店者の肉声だ！」。私は内心、そう叫んだ。画面を見ると、ベゾスの顔色は明らかに変わっていた。議員によれば、この出店者は1年間に500を超えるメッセージをアマゾンに送ったが、意味のある回答は一つもなかったという。議員が質す。

「あなたがパートナーだという人たちを、このように扱うことが許されるのでしょうか」。ベゾスは神妙な顔で答える。

「私には、彼女に対する接し方が正しいとは全く思えません。驚きました。これは……私たちのあり方ではないと断言できます」

動揺気味のベゾスは、ときに議員の呼びかけを無視し、早口で話し続けた。

「私は理解できないのですが、もっと理解したい。あなたの許可があれば……」

「これは許されないことです。私たちが中小企業の声に耳を傾けていないとしたら、それは全く嬉しくありません。これは組織的に起こっていることだとは思えません」

両手を広げ、「それはアマゾンのやり方ではない」と訴え続けるベゾスに向かい、議員は最後に再び、出店者の女性の声を流した。

「ベゾスさん、私たちはこの3年でアマゾンでの売上を5倍にしました。それだけ販売手数料でアマゾンに貢献してきました。あなたが決めた全てのルールに従いました」

「私たちが生計を立てられるように、どうか助けてください。14人の命がかかっています。どうか、どうか、どうか私たちが元通りになるように助けてください」

今にも泣き出しそうな声だった。

衆人環視の中で「王様」に必死に赦しを請う光景は、アマゾンと取引先の関係を如実に表していた。このとき、私は日本で聞いていた取引先に対するアマゾンの「悪行」の数々を思い出していた。米国でも、同じことをしている。そして、ベゾスの動揺ぶりを見るに、トップはそれに気付いていないのだ。

ベゾスへの追及はさらに続いた。別の議員はある小さな企業の話を紹介した。

作業員向けの服を作って販売するそのアパレル企業は、あるユニークな商品を見つけて販売を開始し、その商品だけで年間6万ドルも稼いでいたという。ところがある日、突然、アマゾンが全く同じ商品を販売し始め、一夜にして売上がゼロになった。アマゾンの価格は一般的な販売価格より安く、対抗したくてもできなかったという。

「アマゾンはしばらくの間、出店者を手懐けます。しかし、一見、自分に利益をもたらし、いい気分にさせてくれるその人が、最終的には自分を破滅させることになると気づくのです」。この企業はそう語ったという。

議員に感想を求められたベゾスは、疲れた様子でこう反論した。

「その評価には全く同意できません。私たちにとって価値のある商品ページに第三者の出店者を招き入れることは、社内で非常に議論を呼んだ決定でした。しかし、その方が消費者のためになると確信し、実行に移したのです。私たちは正しかったと思いますし、お客様にとってもいい結果になったと思います」

アマゾンがルールを決める自社の通販サイトで、出店者と直接、競合する製品を生産、販売することは利益相反ではないか。そうした追及にもベゾスは異を唱えた。

「そうは思いません。最終的に意思決定しているのは消費者です。何を、どの程度の価格で、誰から買うかの判断を下すのは消費者です」

最後は諭すように答えていた姿が印象的だったが、ベゾスは観念的な答えが多く、どこまで問題を真剣にとらえているのか、最後まで分からなかった。

翌2021年夏、ベゾスはCEOを退任。自身が設立した宇宙企業ブルーオリジンの船で宇宙へ飛び立った。恐らく、2度と「俗世」の公聴会には姿を現さないのだろう。

「国防クラウド」で見せたアマゾンの凄み

アマゾンはネット通販以外に巨大ビジネスを抱える。政府や企業のデータを「データセンター」で預かり、管理するクラウド事業だ。それは米国の軍需と深く絡み合い、アマゾンの別の顔を作り出している。

2019年——米国防総省のクラウド導入計画をめぐり、アマゾンとライバル企業の受注競争が最高潮を迎えていた。計画の名は「JEDI（ジェダイ）」。人気映画「スター・ウォーズ」シリーズの正義の騎士と同じ名のプロジェクトだ。戦闘支援を目的に、人工知能（AI）を駆使してデータを高度に分析する。契約は10年で最大100億ドル（約1・3兆円）と巨額だった。

受注の最有力候補はアマゾンだった。アマゾンは2013年にIBMを破って米中央情報局（CIA）の契約を勝ち取り、米国の安全保障当局との距離を急速に縮めていた。その後も多くの米政府機関のクラウドを請け負い、中でも国防総省は最も受注額が多い「上得意客」だった。

「アマゾンは、これまでの国防総省の納入業者を駆逐して、米国政府における21世紀のIBMになろうとしている」。専門家からはそんな声も上がっていた。

ＪＥＤＩの条件を満たせるのはほんの一握りの企業だけ。そして、それはアマゾンだとささやかれていた。「ＪＥＤＩの仕様書はアマゾンしか勝てないように書かれている」。ライバル企業のオラクル幹部はそう話したという。

米フォーチュンとプロパブリカの調査報道によると、当時の米国防長官ジェームズ・マティスはアマゾン本社に出張し、ＣＥＯのベゾスと会談。その際、アマゾン幹部がクラウドを売り込んだという。

ロビー活動も活発だったようだ。２０１９年のロビー活動費を見ると、アマゾンは１６７９万ドルで、企業ではトップ。「１兆円案件」の重さを裏付けるように、アマゾンなどが提出したロビー活動の報告書には多くのロビイストが国防総省や議会関係者に働きかけた形跡が残っていた。ライバル企業の関係者は「アマゾンは我々よりはるかに国防総省やホワイトハウスとのつながりが深かった」と話した。

だが２０１９年秋、「事件」が起きる。国防総省がＪＥＤＩの契約先に選んだのは、マイクロソフト。大本命とされたアマゾンが受注に失敗したのだ。

まさかの失注。その裏には、ベゾスを敵視する当時の米大統領、ドナルド・トランプによる受注阻止の動きがあった。

アマゾンは異例の対抗策に出る。選定を不服とし、見直しを求めて米政府を提訴したのだ。訴訟資料では、ベゾスがトランプ政権に批判的な論調で知られる米紙ワシントン・ポストのオーナーだったことから、クラウド契約からアマゾンを遠ざけようとしたと主張。「トランプ大統領の不適切な圧力の結果だ」とトランプを激しく批判した。

混乱を招いた国防総省はその後、1社から調達する方針を転換。2022年、アマゾンやマイクロソフトなど4社と契約を結ぶと発表した。発注規模は2028年までで最大90億ドル。「1兆円案件」は各社が取り分を分け合う「痛み分け」で決着したが、この問題は国防総省との関係の深さ、自らの利益のためには国を提訴することも辞さないアマゾンの凄みを浮き彫りにした。

アマゾンはクラウド事業のサイトで国防総省への提供をこう誇らしげに書いている。「AWS（アマゾン）クラウドは安全かつ拡張性や費用対効果の高いソリューションを提供し、米国連邦政府の独特な要件やミッションをサポートします。民間機関からインテリジェンスコミュニティー、国防総省にいたるまで、イノベーションを促進します」

ロシアによるウクライナ侵攻でも、アマゾンクラウドは威力を発揮した。侵攻後、アマゾンはウクライナ政府の重要データをクラウドへ移行する作業をすぐに開始し、膨大な量のデータをアマゾンのデータセンターへ移動させたという。

アマゾンのクラウドは日本政府でも採用が進む。日本政府関係者によると、アマゾンはスケールメリットを生かして、高機能化と低価格化を進めており、「列車にたとえるとアマゾンのクラウドはリニアモーターカー、日本企業のクラウドは鈍行列車のようなもの。安全や性能、価格で日本企業は太刀打ちできない」という。

２０２１年には、アマゾンが「ＭＩ６」など英国の諜報機関とクラウド契約を結んだことが明らかになった。英紙フィナンシャル・タイムズによると、導入の目的はデータ分析とスパイ活動へのＡＩの利用促進。スパイが海外の現場からデータをより簡単に共有できるようになるほか、数時間分の傍受記録から特定の声を発見して翻訳する音声認識機能などが強化されるという。

クラウドの支配、そして国家の軍事や諜報機関への食い込み。そこには、ネット通販にはない、アマゾンの別の顔がある。

「人間として扱って」倉庫作業員の叫び

アマゾンの倉庫作業の過酷さは日本でも広く知られるが、それは米国も同じだ。

2021年春、米アラバマ州にあるアマゾンの物流施設で組合結成の動きが拡大。待遇改善を訴える作業員と、組合結成を阻止しようとするアマゾンが激しく対立した。同年3月、作業員の女性が公聴会に出席し、その過酷な労働実態を明らかにした。

「アマゾンは最低賃金以上の賃金を払っていると自慢しながら、仕事の実態については話しません。アマゾンの倉庫で働くのは簡単ではない。交代までの時間は長く、ペースは超高速。常に監視され、彼らはもう一つの機械だと考えているようです」

常に立ちっぱなしで休憩時間は10時間勤務でわずか30分。施設はサッカー場数面分の広さがあり、トイレ往復だけで休憩時間を消費してしまう。エレベーターの利用は禁止で、4階建てビルの階段を、足を引きずりながら上っている……リアルな証言の後、作業員の女性は訴えた。

「アマゾンはパンデミックの間、大金を稼ぎました。ジェフ・ベゾスは世界で最も裕福な男です。アマゾンは経済成長の手助けをしたいと言っています。それには、最低限の生活水準を維持する賃金を支払い、生活費に見合う福利厚生を提供する必要があります。私たちは働くためだけに生きるロボットではありません。生きるために働くのです」

「アマゾンが私たちの声に耳を傾け、私たちを人間として扱うことを願っています」

アマゾンは組合結成を阻止しようと、あからさまな嫌がらせもしてきたという。「組合教育会議」と呼ばれる会議に強制的に参加させられ、従業員にとって組合がいかに悪い存在であるかを延々と説明される。施設のあちこちに反組合の看板やメッセージを掲げ、トイレの個室にまではり紙がしてあったという。

ベゾスは米経済誌フォーブスの世界長者番付で、2021年まで4年連続で首位。資産額は1770億ドル（約23兆円）というとてつもない金額だ。巨額の収益を上げながら、従業員にはその恩恵が行き渡らない。こうした経済格差の拡大も、巨大ITが引き起こす問題の一つだ。公聴会では組合結成を後押しする急進左派の上院議員、バーニー・サンダースも吠えた。

「CEOが平均的な従業員の320倍もの収入を得ながら、従業員の医療費を削減していることに国民はうんざりしています」

「金持ちが金持ちになり、多くの人々が貧しくなっているのには理由があります。政治的な決定が金持ちによって左右されることが、あまりにも多いのです」

アラバマの物流施設では、その後、労働組合結成の是非を問う従業員投票が実施され、反対多数で否決された。しかし、2022年にニューヨークにある物流施設で実施された従業員投票では賛成多数で可決され、アマゾンの米拠点で初となる労働組合が結成されることになった。

「アマゾンは、地球上で最もお客様を大切にする企業、そして地球上で最高の雇用主となり、地球上で最も安全な職場を提供することを目指しています」――サイトではこんな崇高な理念がうたわれる。取引先や労働者に対する扱いや組合潰しの実態を知ると、その目標は空々しく聞こえる。

公取vsアマゾン頭脳集団

ここからは話を日本に転じる。2020年、公取はアマゾンジャパンの問題行為に関連し、納入業者約1400社に対して約20億円を返金することを約束させた。

問題とされたのは、アマゾンが仕入れた商品を通販サイトで販売する際、値引きした金額の一部を納入業者に補塡させたり、システム投資への「協賛金」名目で納入価格の数%～10%を負担させたりしていたことだった。公取は、これが取引先に不当に不利な条件を押しつける「優越的地位の乱用」にあたる可能性があるとみて、独禁法違反の疑いで調査。アマゾンから問題行為の中止や、約20億円の返金を勝ち取った。

舞台裏では、アマゾンの頭脳集団と公取が激しい駆け引きを繰り広げたという。公取によると、アマゾンは10人もの弁護士でこの案件に対応。経済分析を手がける著名なエコノミストも擁し、自社への打撃を最小限に抑える構えだった。両者が鋭く対立したのは返金条件だったという。アマゾンのエコノミストは、協賛金には納入業者の売上を増やす効果もあり、業者側が利益を得ていた部分もあるとして、それを加味した返金条件を提示した。

しかし、公取の経済分析チームが算出モデルやデータの提出を求めて検証したところ、アマゾン側は納入業者が得た利益を過大に推計していたことが判明。アマゾンは公取の指摘を認め、納入業者の返金額が増える条件で折り合ったという。

この逸話から見えてくるのは、巨大ＩＴは豊富な資金力を生かし、強力な弁護士やエコノミストを雇って政府の調査をかいくぐろうとしている、ということだ。情報量でも圧倒的な格差があり、政府の調査も手探りにならざるを得ないのが実態だろう。

巨大ＩＴは、プログラマーなどの技術者以外にも強力な頭脳集団を抱えている。前出のような経済分析やデータ分析を担う「エコノミスト」と呼ばれるプロ集団だ。データ分析や市場設計の需要が高い巨大ＩＴには多くの経済学者が流れ込んでおり、「グーグルを世界一にしたスーパー経済学者」として知られるグーグルのチーフエコノミスト、ハル・ヴァリアンは、カリフォルニア大学バークレー校名誉教授で、世界的に著名な経済学者だ。

2019年にスタンフォード大教授らが発表した論文によると、アマゾンは、過去5年間に150人以上の経済学博士を雇用し、IT企業で最も多くエコノミストを雇っている。日本でも、現在、東京大学教授の渡辺安虎は2017年からアマゾンジャパンのシニアエコノミストや経済学部門長を務めていた。

「アマゾンは現在、大学の経済学部の数倍に上るフルタイムの経済学者を擁しており、急速なペースで成長を続けている」

論文はアマゾンによるエコノミストの「爆買い」をそう指摘し、IT産業について「学術界のエコノミストだけでなく、新卒の博士号取得者をフルタイムでこれほど大量に採用した産業は、ほとんど前例がない」と述べる。

エコノミストの活躍の場は多岐にわたるが、最も需要が高いのがデータ分析の仕事で、新製品を導入するかどうかや、プラットフォームをどう設計するかといった判断を下すためのデータ分析を手がけるという。政府の規制に対応するエコノミストも雇っており、グーグルには検索の独占禁止問題を研究するエコノミストがいるという。

アマゾンは、世界最高峰とされるハーバード大学のビジネススクールでMBAを取得した学生を最も多く採用し、優秀な人材をかき集めている。こうした強力な人材を擁する企業と戦うのは、政府といえども簡単ではない。データは巨大IT側が握り、そこには強力なエコノミストがついている。巨大IT側が自社に都合のいいデータしか出してこなかった場合、政府がそれを見抜けない可能性もある。今後、巨大ITと経済学者の融合が進むにつれて、政府はますます、劣勢に立たされるだろう。

強力な人材を集め、精巧なビジネスで様々な企業をなぎ倒してきた「アマゾン・エフェクト」。国家も今、その暴風にさらされている。

第6章 「ネットの覇者」グーグルの慢心

「我々はあなたがどこにいるか知っている。どこに行ったかも分かる。何を考えていたのかも、大体は分かる」――エリック・シュミット（グーグル元CEO）

2019年、米司法省が動いた

巨大IT企業の独占問題に対し、2019年まで米国当局の動きは明らかに鈍かった。欧州ではグーグルが当局の目の敵にされ、次々と巨額の制裁金が科されていた。日本でも、巨大ITを法律で規制する動きが出ていた。

なぜ米国は動かないのか。自国の経済成長を牽引する企業を叩くことへの抵抗感、自由な市場を重んじる理念ゆえともいわれていたが、実際はよくわからなかった。2019年7月の米国赴任が決まっていた私は、渡米前、その謎を解き明かそうと思っていた。

ところが、まさに私が赴任した2019年7月、米国の独禁当局、司法省が突如目覚め、巨大ITの調査にまい進し始めた。当時、私はその動きをこう報じた。

「米司法省は23日、巨大IT企業に対し、反トラスト法（独占禁止法）に違反する行為がないかなどを調査すると発表した。具体的な企業名は挙げていないが、『GAFA』と呼ばれるグーグル、アップル、フェイスブック、アマゾン・ドット・コムを念頭に置いているとみられる。司法省は、消費者や企業などの間で、検索やソーシャルメディア、ネット通販の分野への懸念が広がっていると説明。プラットフォームを運営する巨大IT企業が、どのように市場で支配的な力を獲得しているかや、競争や技術革新を阻んだり、利用者に不利益を与えたりする行為がないかを調べる」

当時は知る由もなかったが、司法省の最大の標的はグーグルだった。

便利なサービスを提供するグーグルには私自身、好感をもっている。検索を使わない日はないし、方向音痴なので、グーグルマップがなければ道に迷ってしまう（あっても迷うが）。ネット閲覧ソフトは「クローム」だし、アンドロイドスマホやスマートスピーカーも使っている。私の生活の多くはグーグルに支配されている。

取材で会うグーグル社員も気取らない雰囲気の「ナイスガイ」が多い。大企業にありがちな高圧的な態度をみせることもないし、政府の規制の動きにも「これだけ大きくなったのだから、政府ににらまれるのは当たり前」と鷹揚に構えている印象も受けた。そういうこともあって、なぜグーグルがそれほど問題視されているのか、いまいちピンと来ない部分もあった。

しかし、世界を牛耳る巨大ITがそう甘いわけがなかった。私は米国での取材で、独占的地位を使ってライバルを弱らせ、貪欲にビジネスを進めるグーグルの本性を知ることになる。

広い支配領域と高いシェア

「ネットの覇者」と呼ばれるグーグルは検索や、スマホ基本ソフト「アンドロイド」、閲覧ソフト「クローム」を展開。いずれも世界首位のシェアをもち、世界シェアは検索で9割、アンドロイド7割、クローム6割と圧倒的だ。人気の動画投稿サイト「ユーチューブ」やGメール、グーグルマップなどのサービスも手がけ、利用者数はいずれも10億人を超える。

親会社「アルファベット」の2022年の売上高は2828億ドル（約37兆円）、最終利益は599億ドル（約8兆円）。

多くのサービスは無料なのに、なぜこれほどの売上をあげられるのか。収入源は検索やサイトに表示する「広告」だ。グーグルは関連サービスで得たデータからその人の嗜好を分析し、サイトに広告を表示している。こうした広告ビジネスの収入は2244億ドル（約29兆円）と売上全体の8割を占める。グーグルはこのネット広告のシェアでも世界首位だ。企業などのデータを管理するクラウドサービスでも売上を伸ばしている。

親会社アルファベットの傘下には自動運転開発会社「ウェイモ」があり、次世代の自動車開発でもリードする。健康・医療系企業も多く抱え、2021年には、AIを使った創薬事業を手がける新会社「アイソモーフィック・ラブズ」を設立。長期間かかる創薬の過程をAIで一気に変えようとしている。

グーグルの強さは、支配する領域の多さと、各分野のシェアの高さにある。

検索、スマホ基本ソフト、ネット閲覧ソフト、ネット広告はいずれも世界トップのシェアを誇る。ネットの重要インフラを押さえ、動画やマップ、メールといった強力なサービスでネット上のあらゆる場所に存在する状況を作り出している。これらのサービスを一つも使ったことがない人は恐らくいないだろう。

なぜグーグルはこれほど強くなれたのだろうか。ここでは「GAFA」を調査した米議会が2020年秋に出した報告書をもとに、グーグルの歴史と強さの秘密を探ってみたい。

創業は1998年。質の高い検索サービスでのし上がり、2000年には世界最大の検索サービスになった。過去10年間で新規参入した企業が米国内の検索数の1%以上を占めたことはなく、報告書は「グーグルの独占力は永続的」とさえ言う。

検索サービスを提供するには、自動化された「ボット」を使って、ネット上にあるウェブサイトの情報を収集し、データベースに整理する作業が必要になる。これには大量のコンピューターと多額の費用が必要になるため、新規参入が難しい。一方、ウェブサイトの情報をもてばもつほど検索精度は高まるため、先行者が圧倒的に有利になる。

グーグルはその検索の力を広告に使うことで、収益力を飛躍的に高めた。2000年、検索窓に入力した語句をもとに関連する広告を配信する「検索広告」を始め、これが現在のビジネスの中核になっている。グーグルは検索広告以外にサイトに掲載する「ディスプレー広告」も手がける。広告を出す企業などと広告を載せたいサイトを仲介するネット広告の「取引所」も運営し、ネット広告市場でも支配的な地位を築いた。

ネット広告でのグーグルの強さはデータにある。検索やアンドロイド、クローム、マップなど強力な自社サービスのデータを組み合わせ、ネット広告に使える「利用者の行動データの山」を築くことができるという。

報告書は特にアンドロイドについて「利用者データへの比類ないアクセスをグーグルに提供」し、「利用者を広範囲に監視できるようにしている」と分析。そのデータ収集能力の凄まじさをこう説明した。

「グーグルは位置情報と組み合わせることで、個人の属性、居場所、行き先、どのアプリをいつ、どのくらいの時間使用したかなどを基にした、高度なユーザープロファイル（人物像）を作ることができる。これらのユーザープロファイルは、何十億人もの人々に及ぶものだ。これが広告事業の優位性の源泉になっている」

空恐ろしい話だが、アンドロイドについては、興味深い話がある。アンドロイドの著作権侵害をめぐってグーグルと訴訟で争っていた米ソフトウェア大手、オラクルの幹部が、アンドロイドの膨大なデータ収集の実態を検証し、公にしたのだ。そのオラクル幹部が２０１９年秋、私たちの取材に応じ、グーグルのデータ収集の実態を明かした。

「グーグルはＧＰＳやＷｉ－Ｆｉから位置情報を追跡するだけでなく、スマホに搭載されたモーションセンサーで、様々な行動を追跡することができます。自転車、徒歩、車、鉄道……あなたがどんな交通手段を使っているのか、グーグルは正確に把握することができます」

「調査で驚いたのは、気圧の測定データが集められていたことでした。最初はなぜ、そんな情報を収集しているのか分かりませんでした。しかし、気圧の変化で自分がビルのどの階にいるのか把握できることに気づきました。ショッピングモールの何階にいるかを把握し、食料品売り場の階にいたら、それに関連する広告を出す。そういう使い方ができるのかもしれません」

「グーグルが収集しているデータは、基本的に広告主があなたをターゲットにする際のプロファイルを作成するのに使われます。グーグルが大量の情報を収集し、多くの利益を得られるようにシステムは最適化されています。それほどの量のデータを奪われていながら、人々がそれをよく知らないことは問題ではないでしょうか」

　世界で10億人以上の利用者がいるといわれるグーグルマップも強力だ。デジタル地図市場でグーグルマップと同等の「深さ」と「範囲」をもつ企業はないとされる。グーグルは２０１３年、「唯一の競争相手」と言われたイスラエルの地図情報会社Ｗａｚｅ（ウェイズ）を買収し、その地位をより強固にした。

マップは広告の稼ぎ場としての価値も高まっており、「グーグル最大の潜在市場の一つ」とも言われている。他にもAIやスマートスピーカーなどの分野でも存在感をみせており、未来の技術でも支配権を握ろうと、着実に手を打っている。

こうしてみると、グーグルは消費者の生活を便利にする多くのサービスを提供する一方、裏ではそうしたサービスで集めた膨大なデータを駆使し、貪欲に広告ビジネスを進めていることが分かる。

グーグル元CEOエリック・シュミットはかつてこう言った。

「我々はあなたがどこにいるか知っている。どこに行ったかも分かる。何を考えていたのかも、大体は分かる」

多くのグーグルサービスを使う私の人物像がグーグルに握られているのは間違いない。もしかしたら、グーグルは私以上に私のことを知っているのかもしれない。

なぜかグーグルは各国政府の標的になることが多い。独占力の強さもあると思うが、「頭の中を見られているのかもしれない」、「人々の思考を操れるのかもしれない」という根源的恐怖が、国家がグーグルを警戒する根幹にあるのではないかと思う。米政府が標的にしたのも、やはりグーグルだった。次項では、そのバトルをみていきたい。

独禁法違反で全面対決へ

2020年10月、米司法省は1年以上に及ぶ調査の末、反トラスト法（独禁法）違反でグーグルを提訴し、米政府はグーグルと全面対決することになった。巨大ITに対する本格的な独禁提訴は、1990年代後半のマイクロソフト以来、約20年ぶりだった。

司法省はグーグルが検索を独占し、その力を使って問題行為に及んだとみていた。グーグル検索の世界シェアは9割超。2位のマイクロソフト「ビング」は3％程度で、ライバルはいないに等しかった。

司法省が問題視したのは、グーグルがスマートフォンメーカーなどと結んでいた検索に関する契約だ。他社の検索サービスの事前インストールを禁止したり、グーグル検索を初期設定にしたりする契約を結ぶことで、ライバルを排除してきたという。

「20年前、グーグルは、インターネットを検索する画期的な方法を開発し、シリコンバレーの寵児となった。そのグーグルはとっくの昔に消えた。今日のグーグルはインターネットの独占的な門番であり、地球上で最も裕福な企業の一つである」

訴状の冒頭、司法省はそうグーグルの変節を嘆き、「独占を維持、拡大するために次々と反競争的な戦術を用いてきた」と「裏の顔」を指摘していった。
「排他的契約によってライバルの規模拡大を抑え、競争が起きないようにしている」
「アップルが初期設定の検索エンジンとしてグーグルを使う見返りに、検索から得られる広告収入のかなりの割合をアップルに与えた」
「グーグル社員は、『競争を阻止する』といった言葉を使わないように、また、グーグルがどの市場においても『市場支配力』を持つという見方をしないよう指示されている」

司法省は特に、グーグルとアップルという巨大ＩＴ同士の「結託」関係を問題視し、詳細に調べていた。

「２０１８年、両社のＣＥＯが検索の収益を拡大するため、両社がどのように協力するかを議論する会合を開いた。会合の後、アップル側がグーグルに宛てた手紙で『我々のビジョンは一つの会社であるかのように働くこと』と書かれていた」

グーグルは、アップルや韓国サムスン電子といったメーカーや、ネット閲覧ソフトの開発企業に対し、グーグル検索を初期設定にしてもらう見返りとしてお金を支払っている。検索の利用が増えるほど、ネット広告で収入を得やすくなるためだとみられる。だが、その初期設定のためにグーグルが支払うカネは半端な額ではない。

訴状によると、ｉＰｈｏｎｅなどのアップル製品でグーグルが自社の検索サービスを初期設定にしてもらう見返りに、アップルに支払っている金額は最大で年１２０億ドル（約１・５兆円）。米資産運用会社バーンスタインは２０２１年、グーグルがアップルに支払う金額が、２０２１年度に１５０億ドル（約２兆円）近くに達するとの推計結果をまとめている。１兆円から２兆円近いカネがグーグルからアップルに渡っていることになる。

巨額の支払いによってグーグルがアップル経由の情報流通を押さえ、独占力を強化した――司法省はそうみていた。

グーグルの反発は激しかった。グーグル幹部は声明で「深い欠陥がある」、「この訴訟は消費者の役に立たない」と強い言葉で提訴を非難し、全面的に争う姿勢を示した。アップルとの契約についても「このような契約は業界では非常に一般的だ」と反論。法廷闘争の長期化は必至の情勢だった。

オバマとの蜜月、トランプとの対立

米国の独占禁止当局にとって、グーグルは因縁の相手だった。

オバマ政権下の2011年、インターネット検索などで競争相手を不利にしたなどとして、米連邦取引委員会（FTC）が調査を開始。しかし2年後、FTCは提訴を見送り、調査を終えた。オバマ政権とグーグルは当時、蜜月関係にあり、提訴の回避にオバマ政権が関与したとの疑惑を呼んだ。

当時の米大統領、バラク・オバマはソーシャルメディアを駆使して選挙を勝ち抜き、IT企業に理解が深かった。2008年、オバマが米大統領選に勝利すると、当時のグーグルCEO、エリック・シュミットが政権移行チームの経済顧問に名を連ねた。オバマ陣営に対して、支持者にうまく標的を絞るツールの開発を支援したといわれ、シュミットは商務長官候補としてその名が取りざたされるほど、オバマとの関係が近かった。

グーグルは米政府と強力な人的結びつきをもち、オバマ政権では、グーグルと政府との間を多くの人材が行き来した。米非営利団体が2016年に公表した調査では、グーグルやその関連企業と、政府・議会などとの間で人材が行き交う「回転ドア」は約250人。そのうち、ホワイトハウス→グーグルへの転職は約20人、グーグル系企業→ホワイトハウス・政府諮問委員会は約30人。国家安全保障・情報機関、国防総省→グーグルは約20人。グーグル幹部→国防総省は3人だった。

国防総省の研究部門DARPA幹部からグーグル、CIA兵器分析官からグーグルへ移籍する例もあり、軍事系の人的交流も少なくない。規制当局であるFTCからもトップクラスの人材を採用しており、FTCがグーグルを調査している最中にFTCからグーグルに転職した人物もいるという。調査を手がけた非営利団体は「グーグルは政府高官を雇うことで政府の内部事情について貴重な見識を得られる。一方、元グーグル社員が政府内にいることは、自社の利益に絡む様々な問題で政策決定に影響を与える強力なパイプになる」と回転ドアの効果を解説した。

グーグルとオバマ政権の「異常に密接な関係」。ウォール・ストリート・ジャーナルが入手したFTCの内部報告書によると、当時、FTCの調査担当者は、検索のライバルを排除する行為が反トラスト法違反にあたるとして、内部で提訴を求めていたという。しかし、上層部が出した結論は提訴の見送りと、グーグルが商慣行を見直す形の「和解」だった。

ウォール・ストリート・ジャーナルはFTCの調査が山場を迎えた際、グーグル幹部がホワイトハウスなどでオバマ政権高官やFTC担当者と会談していたと報じ、「グーグルが重要な政府関係者の部屋を行き来していることは、反トラスト法違反で提訴されずに済んだことへの疑惑が深まるにつれ、新たな意味をもつようになっている」と疑問を投げかけた。

オバマ政権に肩入れしたグーグルは、後にその代償を払うことになる。

２０１６年の大統領選でトランプが当選すると状況は一変。グーグルは保守派の目の敵にされるようになり、米議会では「右派が不利になるよう検索結果を操作している」と集中砲火を浴びた。そして前述した通り、２０２０年にはトランプ政権下の司法省が反トラスト法違反で提訴することになった。

投手、打者、審判の三役をこなす

グーグルへの提訴攻撃はその後もやまなかった。司法省の提訴から2か月後にはテキサス州の司法当局が追随し、ネット広告を巡る反トラスト法違反の疑いでグーグルを提訴した。ここで浮上したのが、フェイスブックとの「共謀」疑惑だった。

グーグルは広告主と掲載サイトの間で、ネット広告枠の売買を仲介するサービスを展開しており、ネット広告市場では「投手、打者、審判の三役を同時にこなす」と言われる。当局側は、競合する仲介サービスをフェイスブックが使わないようにするため、グーグルとフェイスブックが取り決めを交わし、「フェイスブックが入札で勝つように広告オークションを操作した」と主張した。グーグル側はこれを「作り話」だとし、市場操作については「絶対にない」と反論した。

検索の独占的な力を使い、ホテルや飲食店を探す専門サイトを差別的に扱った――同じ月にはコロラド州の司法当局からも火の手が上がった。他社サイトを画面下に追いやり、自社関連サービスを優先的に表示しているのではないか、という疑惑だった。専門サイトが力をつけると、検索の独占が脅かされかねない。背後には専門サイトを弱体化しようとするグーグルの思惑があると当局は考えた。

グーグルが専門サイトを利用者の視界から「消している」との不満はかねてから強かった。「グーグルは自社サービス内に利用者をとどめ、競合するサービスにたどり着けないようにしている」。ネットで旅行や求人などサービスを提供する100を超える企業などはEU当局にそうした書簡を出し、窮状を訴えた。

「グーグルの自社優遇を抑制し、検索に真の競争を復活させなければならない」

飲食店などの口コミサイトを展開する米「イェルプ」幹部も、公聴会で訴えた。

こうした米独禁当局の集中砲火は、それまで見えなかったグーグルの姿を世間にさらすことになった。当局の主張が100％正しい保証はないが、訴状にはこれまで知らなかったグーグルの姿が生々しく書かれていた。

グーグルの内部情報にここまで迫れるのは国家権力しかない。巨大ＩＴの力を牽制できるのはやはり国家だけだ――数百ページに上る訴状を読みながら、私は改めてその思いを強くした。

一方で、国家による提訴は国家システムの「のろさ」を浮き彫りにした。2020年10月に司法省が起こした訴訟の裁判は、2023年9月に始まる予定だ。提訴から裁判開始まで実に3年の月日を費やし、「決着まで数年かかるのではないか」（米法曹関係者）とも言われる。

国家の司法が結論を出すまでの間、動きの速い巨大ＩＴはその姿を変え、訴訟は古びてしまうだろう。裁判で違法性を問うことが果たして有効な手段なのか、巨大ＩＴの出現は国家の統治のあり方に再考を迫っている。

ピチャイCEOへの議会の追及

2020年7月のGAFA4トップvs米議会の公聴会。グーグルと親会社アルファベットのCEO、サンダー・ピチャイも議員から追及を受けた。

ピチャイはインド出身で、米スタンフォード大などを経て2004年に入社。ネット閲覧ソフト「クローム」の開発を手がけ、2015年にグーグルCEOに就任した。2019年からはアルファベットのCEOも兼務する。あくが強いCEOが多いIT企業では珍しい、温和な人格者だが、地味なイメージがある。グーグルCEOと聞いて、すぐにピチャイを思い浮かべる人は多くないだろう。

グーグルで有名なのは創業者ラリー・ペイジとセルゲイ・ブリンだ。いずれも天才肌の経営者だが、外交的なブリンと対照的に、ペイジは内向的で、対人関係に関心が薄いとされる。「目立つことより結果を重視する」ピチャイはペイジに気に入られ、直属の幹部グループに加わり、ペイジの構想を社員に伝える「通訳」の役割も果たしてきたという。

ウォール・ストリート・ジャーナルによると、ある元幹部がペイジの出席する会議でピチャイに反対すると、その場では反応を示さなかったものの、部屋を出た後、「ラリー（ペイジ）の前で我々は絶対に意見をたがえるべきではない」と詰め寄ったという。ペイジは２０１３年、声帯マヒを患っていると発表し、表舞台から姿を消す。それを埋めたのがピチャイら古株の幹部だった。

巨大ＩＴ企業の経営を一身に背負うようになった温和なＣＥＯ、ピチャイ。公聴会で、ダークスーツに身を包んだピチャイは、緊張した面持ちで語り始めた。

「インドで育った私は、あまりコンピューターに触れる機会がありませんでした。ですから、大学院進学のために渡米し、好きなときに使えるコンピューターが研究室全体にあるのを見た時、驚きました」

「初めてインターネットに触れたことで、私はテクノロジーをできるだけ多くの人に届けたい、と思うようになりました。それはグーグル初のブラウザー『クローム』を開発するきっかけになりました。それから11年、多くの人がクロームを通じて無料でウェブに触れていることを誇りに思います」

ピチャイは「米国への貢献」をアピールし、議員らの反感を和らげる作戦のようだ。

「最短経路の検索からユーチューブでの新しい料理の作り方の学習まで、あらゆる人々がグーグルを頼りにしています」

「調査によると、Gメールやマップなどの無料サービスは、平均的な米国人に年間数千ドルの価値を提供しているようです」

「当社のエンジニアは人工知能、自動運転車、量子コンピューターなどの新興技術において、米国が世界のリーダーであり続けることに貢献しています」

時々、書類に目をやりながら訥々とした口調で説明する。誠実そうなピチャイの外見も相まって、説得力を感じる。そして、焦点となっている独占問題に話題が移る。

「グーグルの継続的な成功は保証されたものではありません。日々、新しい競争相手が現れ、今日、利用者はかつてないほど多くの情報にアクセスできるようになりました」

「オンライン広告のコストは競争の結果、過去10年間で40%低下し、節約分は消費者に還元されています。アンドロイドのようなオープンなプラットフォームは、他社の技術革新も支援し、何千もの携帯電話事業者が私たちにライセンス料を支払うことなく独自のデバイスを作り、販売しています」

独占問題は「競争がない」ことが問題だから、巨大ＩＴは常に「競争がある」と主張する。ピチャイの発言もそれに沿ったものだ。しかし、グーグル検索を独占と言わずして一体、何が独占になるのか。思わず突っ込みを入れたくなる主張だ（ちなみに、同じ場面でザッカーバーグは「私たちは競合他社に後れをとっています」とまで言った)。

質問の時間に入ると、議員は挑発するようにピチャイに問いかけた。

「ほとんどの米国人はグーグルが表示した検索結果は最も関連性が高い結果だと信じています。しかし、グーグルは自社にとって最も収益性が高いものを表示するようになっています」

議員はグーグルが検索結果で自社サービスを上位に表示し、「我田引水」しているのではないかと言いたいのだった。

少しいらついたように、ピチャイが反論する。

「私たちは常に、利用者に最も関連性の高い情報を提供することに注力しています。広告はテレビを探しているとか、利用者の購買意図が高い場合にのみ表示しています」

「(特定分野に特化した) バーティカル検索をみると、競争原理が働いていることがよく分かります。利用者が買い物しようとする場合、商品検索の55%がアマゾンから始まっています」

ピチャイが独禁問題に関わるのは、今回が初めてではないようだ。ウォール・ストリート・ジャーナルによると、欧州の独禁当局がネット閲覧ソフトの独占問題でマイクロソフトを調査した際、ピチャイはグーグル側の窓口を務め、マイクロソフトを訴追するよう当局を説得する役割を担ったという。ライバルの訴追を促す立場から「被告席」へと、ピチャイは今、真逆の立場にあった。

共和党議員はグーグルの「政治的スタンス」を追及した。

「Gメールのアカウントをもっている私の両親に、選挙運動用のメールが届かないんです。これは……保守的な共和党員だけに起きているように見えます。従業員の（左翼的）偏見が（メール仕分けの）アルゴリズムに影響を及ぼしていない、という保証はあるのでしょうか？」

ピチャイが困惑した表情で答える。

「アルゴリズムの中に政治的イデオロギーと関係するようなものはありません。私たちは超党派で仕事に取り組んでいます」

グーグルは左翼的な偏見を持って検索結果を操っているのではないか——これは右派の共和党議員からしばしば聞かれる質問だ。

保守派のグーグル不信は強く、共和党議員はこの日も繰り返しピチャイを責め立てた。

「グーグルは2020年の（大統領）選挙でジョー・バイデンを助けるために、その機能を調整するつもりなんでしょうか」

「二つ、約束してください。一つはジョー・バイデンを助けるためにプラットフォームの機能を調整しないこと。もう一つは、保守派を黙らせるために検索エンジンを使用しないことです。今日、その二つを保証してもらえませんか」

ピチャイはこう答えるのがやっとだった。

「我々は……政治的に何かを一方に傾けるような仕事はしません。それは我々の中核的な価値観に反しています」

独占問題がテーマの公聴会でも結局、ピチャイは「言論操作」の質問への対応に追われることになった。

グーグルを去った人々の警鐘

新しいことに挑戦を続ける最先端企業のイメージが強いグーグルだが、硬直化した組織に疑問を感じ、会社を去った従業員もいる。彼らは今のグーグルをどうみているのだろうか。

買収によってグーグル入りした地図情報会社Ｗａｚｅの元ＣＥＯ、ノアム・バーディンは2021年にグーグルを去った後、「なぜ私はグーグルを辞めたのか」と題した長文をネットに投稿した。バーディンは「グーグルは私たちに自主性を与えてくれた」とグーグルの経営陣に感謝する一方、企業文化については辛辣な記述も目立った。グーグルの内情が分かりやすく書かれており、少し長いが引用する。

「(買収された後)利用者にとって価値のない仕事に費やす時間がどんどん増えていき、顧客重視から会社のガイドライン重視へと会社のDNAが急速に変化していった」

「(イベントなどで)一つでも間違った言葉を使うと人事部に報告される。グーグルの寛容さは失われ、言葉＞内容がシリコンバレーの新しいポリティカル・コレクトネス(建前)になっている」

「今のシリコンバレーのワーク・ライフ・バランスはバランスではなく、ワーク・ライフを犠牲にすることになっている。若い人たちは早く昇進したい、仕事で充実感を得たい、早く家に帰りたいなど全てを求める。『ヨガのレッスンを休みたくない』といった理由でミーティングのスケジュールを組むのに苦労し、気が狂いそうになった」

「ＩＴ企業で働く人は超ラッキーだ。食事やジムなど信じられないような特典を受け、最高に優秀な人に囲まれて、驚くべきことに取り組める。しかし、私が出会った人の多くはそれを理解せず、感謝もしていなかった。新型コロナウイルスで在宅勤務に移行すると、『食事代が出ないのはおかしい』という苦情が大量に寄せられた。多くの人は仕事を続けられるか、あるいは見つかるかを心配していたのに」――。

そして、バーディンは次のように退職理由を説明した。

「優先順位を明確にするため、１日の終わりには『きょう、利用者のために何ができただろうか』と自問することにしている。しかし、その質問を避けている自分に気づいて、私は終わったと思った。ここで成功するには、『きょう利用者のために何をしたか』という質問に、『たいしたことはしていないが、昇進した』と答え、それで満足できるようになる必要がある。それは私にはできない」

「大企業病」に陥ったようにもみえるグーグル。バーディンはこう警鐘を鳴らした。

「技術革新への挑戦は悪化の一途をたどり、やがては社内の法律家のほうが、ビルダー（作る人）より立場が上になる。ビルダーは会社を去ることになるだろう」

グーグルでＡＩを研究していた元社員、メレディス・ウィテカーは２０２０年、私たちの取材に応じた。ウィテカーは幹部のセクハラ問題をめぐるグーグルの対応を批判し大規模な抗議活動を主導、２０１９年にグーグルを退社した。インタビューではグーグルが「変節」した理由について、自らの分析を披露してくれた。

「私たちはまずグーグルが株主主導の多国籍企業だと認識することが重要です。収益より崇高な目的があるとしても、意思決定の大元は収益の成長を永遠に高め続けることにあります」

「グーグルが株主の要求に追われる前、単なる検索大手だった頃は道徳的、倫理的な立場を取る余裕がありました。しかし時が経つにつれて、資本主義の企業がするように、倫理的な線を越えることが求められるようになりました。例えば、グーグルは米軍と巨大なクラウド契約を結ぼうとしていましたが、それは収益を成長させる機会になるからです」

「トランプが大統領になった途端、彼ら（経営陣）は多くの『保守派』を雇い始めました。権力者と話ができるロビイストを雇い、権力者と手を組もうとした。そして、軍事用ドローンへのＡＩ活用といった米軍との関係を始めました。収益を上げたいという深い欲求にかられ、有害な決定にもかかわらず、投資家の期待に応えようとしています」

そして、ウィテカーは巨大ＩＴ規制の必要性を訴えた。

「グーグルをはじめ巨大ＩＴ企業に驚くほどの権力が集中しています。しかし、それらの企業がその権力に応じてもつべき説明責任が欠けています。IT企業が作る広告やAIのシステムは企業秘密だと訴えることで、世間や議会の監視を逃れています。これらのシステムを外部の調査や監視の対象にし、大規模なIT企業はすべて公益事業として規制されるべきです」

しばしば引用されるグーグルの有名な社是、「Don't be evil（邪悪になるな）」。巨大化したが故に、グーグルは当初の理想を曲げ、現実と折り合いをつけざるを得なくなったようにもみえる。

同じように巨大化し、独禁当局の標的にされたマイクロソフトは2000年以降、技術革新より社内の出世が重んじられる「官僚化」が進み、携帯分野でアップルやグーグルに大きな後れを取ることになった。歴史は繰り返されるのだろうか。

第7章　バイデン政権vs巨大IT企業

「巨大という邪悪は、独占という邪悪とは別のものだが、それは独占に結びつく」――ルイス・ブランダイス（元米最高裁判事）

「アマゾンの天敵」独禁トップに

２０２１年６月、米大統領ジョー・バイデンが発した人事にＧＡＦＡは戦慄した。独占禁止当局の一角、連邦取引委員会（ＦＴＣ）のトップに、「反巨大ＩＴ」の論客で知られるリナ・カーンを指名したのだ。カーンは米コロンビア大准教授で、32歳。史上最年少の委員長だった。

カーンは巨大ＩＴ、とりわけアマゾンの天敵と言える存在だった。エール大学法科大学院在学中の２０１７年、アマゾンに対する規制強化を唱えた論文「アマゾンの反トラスト・パラドックス」（アマゾンの反トラスト法上の矛盾）を発表。この論文で一躍、脚光を浴びた。カーンは論文で、アマゾン分割という強力な規制強化策を提起するだけでなく、現在、米国で主流となっている「シカゴ学派」の教義を真っ向から批判した。巨大ＩＴと主流派の両方に挑戦状を突きつけたのだ。

米国の独禁法にあたる反トラスト法の世界で主流となっているシカゴ学派は、政府による市場への介入をできるだけ減らし、企業に自由な競争を促して独占問題を解決すべきと考える一派だ。主導したのが米シカゴ大に所属する学者だったため、こう呼ばれる。自由な競争に耐え抜き、大きくなった企業は最も効率的で、消費者の求める商品やサービスを安く大量に提供できる——。こうした考えを背景に、シカゴ学派は独占企業に比較的寛容な姿勢をみせる。

カーンは論文で、「反トラスト法は現在、消費者の短期的な利益に重きを置いて競争を評価しており、価格が安いことだけが健全な競争の証しとされる」とシカゴ学派の教義を説明。アマゾンはそうした反トラスト法の考え方のもとで「事業戦略を価格の引き下げに傾けることで、政府の監視の目をかいくぐってきた」という。

カーンはそうした主流派の考え方を「21世紀の市場支配力の構造を捉えることに失敗している」「アマゾンの支配が競争にもたらす損害を認識できていない」と批判。物流サービスなどを併せ持つアマゾンの反競争的行為は「ビジネスの構造、異なる事業分野間での優位性活用に目を向けることなしに、完全に理解することはできない」と訴えた。巨大ITはシカゴ学派の教義の前提を覆している。今の考え方ではアマゾンの問題を捉えることはできない――カーンはそう言いたいのだった。

カーンは論文で大胆な規制強化策も提案していた。アマゾンのネット通販事業の「分割」だ。

「アマゾンが取引企業に振るう権力は絶大だ。（事業）範囲を制限し、例えばアマゾンが直接販売する事業と、出店者向けの事業に強制的に分割すれば、懸念を和らげることができるだろう」

「アマゾン解体」を唱えるカーンが独禁当局のトップに――アマゾンにとって悪夢のような展開だった。

アマゾン、フェイスブックが宣戦布告

もっとも、それでひるむアマゾンではなかった。カーンが委員長に就任してわずか2週間後、アマゾンはカーンに宣戦布告する。大胆にも、カーンが「公平性を欠いてい

る」としてアマゾンの調査に関わらないよう、ＦＴＣに要請したのだ。ＦＴＣは水面下でアマゾンを調査しており、それにカーンが関われないようにする作戦だった。

「彼女は何度も、アマゾンは反トラスト法違反の罪を犯しており、解体されるべきだと主張してきました。これらの発言はアマゾンが有罪であるとの結論を下しているという印象を受けます。カーン委員長は証拠を中立かつ公平に評価できない。アマゾンの反トラスト法調査に関与すべきではありません」

要請書では、アマゾンに関するカーンの過去の論文や発言が「偏見」にあたると指摘。アマゾンが反トラスト法違反だと主張することで、カーンが「学術界でのキャリアを築いてきた」とこき下ろした。そして、「カーン委員長が下した結論について全く同意していないが、もはやアマゾンの抗弁を素直に考慮できないだろう」とし、「アマゾンに対するすべての案件で、自ら退くこと」を要請した。強力な先制パンチだった。

さらに2週間後、今度はフェイスブックも同様の要求をする。

「カーン委員長は、そのキャリアにおいて、一貫して、公然とフェイスブックが反トラスト法に違反していると結論づけてきました。著作やスピーチ、ツイッターなどで、フェイスブックは反トラスト法違反者だと公言し、そのキャリアを築いてきたのです」

「カーン委員長のフェイスブックに対する偏見」の章は、積年の恨みをぶちまけるかのような内容になっている。

「カーン委員長と共著者は、ある論文の中で、フェイスブックを『マルタ・ザッカーバーグ』という名の（詳細な個人情報を知り得る）医者になぞらえ、『診察室だけでなく、あなたの近所の至るところに監視装置を仕掛けている』、『主な収入源は（薬などの）商品を第三者があなたに売れるようにすることだ』とし、『医者と違って、フェイスブックは顧客第一を真剣には考えていない』と述べています」

「フェイスブックが『ミャンマーでの大量虐殺を扇動する道具として機能している』、『フェイクニュース、陰謀論、ボット生成のプロパガンダ、扇動的で分裂的なコンテンツを広く増幅するなど、多くの社会悪に関係している』とも主張しています」

そしてアマゾンと同様、カーンに辞退を迫った。

「カーン委員長は一貫して、フェイスブックが反トラスト法違反の要素を満たす行為を行っている、と繰り返し結論付けており、辞退が適切であると考えます」

委員長であるカーンの辞退をＦＴＣが決めるとは考えづらく、要請は巨大ＩＴを敵視するカーンへのけん制とみられる。ただ、巨大ＩＴ側の強烈な反応は両者の戦いの激化を予感させた。その後、カーンは対抗心を燃やすかのように、強制力を伴う調査を実施しやすくするなど、ＦＴＣの調査能力拡大を図った。

大企業は独禁当局の権限強化を嫌う。これが米国最大の経済ロビー団体、全米商工会議所の怒りを買い、同会議所も「反カーン」の狼煙を上げた。

「カーン委員長の下、ＦＴＣは消費者と競争を保護するという本来の使命から根本的に逸脱している。産業の規制を拡大し、政府は最善を知っている、というやり方で我々の経済を管理しようとしている」

「ＦＴＣは米国企業に対して戦争を仕掛けている」

ＦＴＣも一歩も退く気はないようだった。ＦＴＣの広報担当者は「企業のロビイストが脅しをかけているからといって、我々が引き下がることはない」と米メディアに答えたという。

２０２２年、カーンが反撃に出る。メタによるＶＲアプリ会社ウィジンの買収が反トラスト法違反にあたるとして、ＦＴＣが差し止めを求めて提訴したのだ。

ウィジンはＶＲアプリ市場で人気のフィットネスアプリを開発。「ＶＲのキラーユースケース（決定的な使い方）」とされるフィットネスアプリを取り込み、メタバースで支配力を強めようとする動きを、ＦＴＣは見逃さなかった。ＦＴＣはすでにＳＮＳのインスタグラムとワッツアップの買収が違法だったとしてメタを訴えていたが、ＶＲでも買収によって事業を拡大しようとしているとみて、この買収を問題視した。ＳＮＳからメタバースへ転換を図ろうとするザッカーバーグの出鼻をくじく提訴だった。

一方、アマゾンとの対立も激しくなっていた。２０２２年、アマゾンは「アマゾンプライム」の調査でＦＴＣが不当な要求をしているとして、調査要請の撤回などを求める書面を提出した。

書面によると、アマゾンはＦＴＣの要請に応じて約３万７０００ページもの文書を作成。その後、ＦＴＣはアマゾンミュージックやキンドルにも調査を拡大し、創業者のジェフ・ベゾスやＣＥＯのアンディ・ジャシーら首脳にも証言を求めたという。「不当に負担がかかり、アマゾン最高幹部への嫌がらせとその事業運営を妨害する以外の目的がないように思われる」。アマゾンは憤りを隠さなかった。

ＦＴＣはアマゾン役員が使った「消えるメッセージ」の記録提出も求めた。ウォール・ストリート・ジャーナルによると、ベゾスら最高幹部は当局にメールを押収される恐れがあることから、ビジネス上の機密事項に関わるやり取りにはメールではなく、暗号化メッセージアプリ「シグナル」を使っているという。

アマゾンは「復元できない」と訴えたが、「消えるメッセージ」まで踏み込むＦＴＣの姿は巨大ＩＴと政府の攻防がいかに激しいかを物語っている。

打倒・巨大ＩＴに意欲を燃やすカーンだが、どこまで巨大ＩＴを追い詰められるかは未知数だ。

２０２３年、メタによるウィジン買収の差し止めを求めた訴訟で、米連邦地裁はＦＴＣの訴えを棄却した。主流派であるシカゴ学派の考え方を覆そうとするカーンだが、彼女の主張が正しいかを判断するのは裁判所だ。そして多くの裁判官はまだシカゴ学派の影響下にあるとされる。新たな法理論で巨大ＩＴを取り締まろうとする若きトップと、その包囲網を敷く巨大な企業、団体。その攻防は今も続いている。

シカゴ学派vs新ブランダイス学派

バイデン政権はカーンの他にも、２人の「反巨大ＩＴ」派を要職に起用した。１人は反トラスト法の論客で米コロンビア大教授のティム・ウー。フェイスブックによる新興企業の買収を問題視し、解体を主張してきた「フェイスブックの敵」は、国家経済会議

（NEC）で技術・競争政策を担当する大統領特別補佐官に就いた。
もう1人は「グーグルの敵」として知られる弁護士、ジョナサン・カンター。反トラスト法が専門で、「対グーグルの反トラスト訴訟を理論面で支えてきた」（米メディア）人物だ。彼は司法省反トラスト部門トップの司法次官補に就いた。

二つの独禁当局トップとホワイトハウスの要職に「反巨大IT派」の3人が並ぶ人事によって、バイデン政権が巨大ITに対決姿勢で臨むことが決定的になった。

ウーはカーンとともに、独占企業への厳しい法規制を唱える「新ブランダイス学派」を率いてきた。

「ブランダイス」は19世紀末から寡占の弊害を訴え、のちに米最高裁判所判事を務めたルイス・ブランダイスの名に由来する。ブランダイスは巨大企業を敵視し、当時、鉄道業界を独占していた銀行家J・P・モルガンなどと戦い、独占の弊害を訴えた「国民の法律家」として知られている。ウッドロー・ウィルソン政権では主任経済顧問を務め、本書に何度も出てきた独禁当局、連邦取引委員会の創設に中心的な役割を果たした。

ウーは著書『巨大企業の呪い』でブランダイスについてこう書いている。

「ブランダイスは、トラスト（巨大な合同企業）が中小企業や独立系企業をのみ込み、

あるいは廃業に追い込みながらアメリカ経済で猛威を振るっている状況を自分のことと
して経験していた」

「巨大化して力を得るにつれ、企業はますます手に負えない大きな存在に変貌していき、人間が何を必要とし、何を恐れているのか、そうした問題に当の企業が無関心になっていく事実にブランダイスは不安を抱くようになった」

ブランダイスが活躍した１９００年代以降、70年代ごろまで主流だったのは、独占企業に対する厳しい規制を主張する「ハーバード学派」だった。米政府は、製鉄や銀行など様々な分野で合併を阻止し、ＡＴ＆ＴやＩＢＭなど巨大企業の分割を求めた。

しかし、その後は市場の自由を重視し、政府の介入を縮小すべきだとするシカゴ学派が台頭、巨大企業に対する規制の手は緩められることになった。そして、ウーによれば「反独占を謳ったアメリカの法律は深い冬眠についてしまった」。

時を経て、巨大ＩＴの勢力拡大に危機感を抱いた学者らが、ブランダイスの思想を土台に新しい独占禁止の考え方を提唱するようになった。それが「新ブランダイス学派」で、ウーやカーンがそれを主導している。

ウーは著書で、巨大ＩＴの世界支配に強い警戒感を示している。

「自由競争が当たり前とされたテクノロジー業界でも市場の集中が進み、現在ではフェイスブック、グーグル、アップルなどのひと握りの巨大企業しか残っていない。彼らは自国だけでなく世界中の市場を独占したが、それによって地球規模の過剰な独占状態が生み出されてしまった」

ウーが懸念するのは巨大企業が政治に対して大きな影響力をもつことだ。

「フェイスブックとグーグルがひとつになったとしよう。この2社で、これまで存在したあらゆる組織や企業より、もっとも多くの個人情報を所有する。両社が結びつくことで、明らかに選挙の結果を左右するほどの影響力が持てるようになる」

そして、ウーは「民主主義を守る戦いにおいては、巨大であること自体がすでに問題」だとし、「巨大企業をコントロールする方向に舵を切っていかなくてはならない」と結論づける。

カーンも同様に、論文で政治力をつけた巨大企業の危険性を指摘していた。

「経済力の集中は、政治力の集中につながり、反民主的な政治的圧力を生み出す」

「親・巨大企業」シカゴ学派と、「反・巨大企業」新ブランダイス学派の戦い。それはシカゴ学派のもとで成長してきた巨大ＩＴ企業と、新ブランダイス学派が要職を占めるバイデン政権の代理戦争といえるのかもしれない。

ロビー攻勢で潰された巨大ＩＴ規制法案

２０２２年６月、米議会上下両院に所属する「反巨大ＩＴ派」議員４人が異例の記者会見を開いた。議員らが成立を目指す巨大ＩＴ規制法案、「米国技術革新・選択オンライン法案」が、巨大ＩＴ側の激しい反対運動に遭い、成立が危うくなっていたのだ。

「今こそビッグテックを規制する時」

そう書かれた演台で、まず民主党の女性議員が巨大ＩＴ批判を繰り広げた。

「あまりにも長い間、巨大ＩＴ企業は、利用者よりも利益を優先しながら、『私たちを信じてください』と言ってきました。『私たちを信じてください』という時代は終わった、と言うために我々は結集しました」

「最近１週間で業界団体はこの法案に反対するテレビ広告に２２００万ドルを費やしました。たった１週間で、一つの法案に対して２２００万ドルです」

「これは独占企業だからできることなのです。多額の資金を使ってシェアを獲得する。それが彼らのやり方です。そうやって彼らはビジネスで成功してきたのです」

「これらの企業は、数千もの弁護士やロビイストの軍団を持つ、世界で最も強力な企業です。しかし、正義は私たちにあります。そして、この法案は議会を通過し、バイデン大統領が署名する最初の巨大IT規制法案となるのです」――。

共和党は企業活動を制限する規制には、伝統的に消極的な立場をとる。だが、法案は一部の共和党議員の支持も得ていた。共和党の重鎮もこう演台で訴えた。

「私たちは、何千万ドルもの広告費を使う巨大IT企業と、虚偽の情報を広める隠れ組織と対峙しています。彼らは善意でそうしているわけではありません。中小企業であれ、消費者であれ、その意思決定に影響力を行使できる現状を守りたいのです。法案の上院での投票がすぐに必要です」

公聴会でGAFAのCEOを直接、追及してきた民主党議員も憤慨していた。

「巨大IT企業は、インターネットでの競争を望んでいません。彼らは、門番としての力と独占的な利益をそのまま維持したい。だからこそ、彼らはこの法案を阻止するために莫大な資金を費やし、広告に何千万ドルも費やしているのです」

4人の議員は法案の行方に強い危機感を抱いていた。世論に訴え、議会指導部に法案の早期採決を促す狙いだった。

彼らが成立を目指していた「米国技術革新・選択オンライン法案」は、巨大ＩＴが自社の製品やサービスを優遇することを禁じるものだ。巨大ＩＴ企業はアプリストアやネット通販のプラットフォームを他の企業に開放するだけでなく、その上で自らもサービスを提供している。法案は巨大ＩＴがそうした「胴元」の立場を利用して、自社サービスを優先したり、他の企業を排除したりするのを防ぐものだった。実現すれば、アマゾンが通販サイトで自社ブランドの電池を他社製より優先して表示するといったことができなくなる、と言われていた。

ビジネスへの影響が大きいとみた巨大ＩＴ側は法案成立を阻止しようと、激しい反対運動を繰り広げていた。米メディアによると、グーグルのサンダー・ピチャイ、アマゾンのアンディ・ジャシーらＣＥＯは法案に反対する議員を増やすため、首都ワシントンでトップロビーを展開。ロビー活動への支出も増額し、メタとアマゾンの支出額は半年で１０００万ドルを超えた。

反対運動は、巨大ＩＴ自らはあまり前面に出ず、息のかかった業界団体に主張を代弁させるのも特徴だった。

「法案によってグーグル検索やマップなどの無料サービスが有料になるかもしれない」

「議会は『アマゾンプライム』の無料配送を犠牲にするかもしれない」

ＧＡＦＡが加入する業界団体・コンピューター通信産業協会（ＣＣＩＡ）の関連サイトでは、法案はグーグルの検索サービスと地図アプリの連携を妨げたり、アマゾンの配送サービスに変更を迫ったりするものだと批判。「お気に入りのサービスを台無しにしかねない法案」、「うまくいっているものを壊すな」と訴えた。

「議員に伝えよう。私たちの『(アマゾン）プライム』を壊さないで」

ある広告はそう呼びかけた。広告は、11月の米中間選挙で当選すれすれの民主党議員がいる州で集中的に流されたと言われる。法案を支持すれば、当選できないかもしれない――不安に駆られた議員は選挙前に法案を採決しないよう議会指導部に求めたという。

法案を支持する議員は巨大ＩＴ側の大規模な反対キャンペーンを前に劣勢に立たされた。

法案を採決するかどうかの判断は上院トップの院内総務、チャック・シューマーに委ねられていた。非営利団体によると、シューマーはグーグルやアップルから多額の献金を受けており、娘はアマゾンやメタで働いている。アマゾンで働く娘は、アマゾンのロビイストだという。法案成立の鍵を握るシューマーが、すでにＧＡＦＡ側に取り込まれている可能性があった。非営利団体はシューマーの立ち位置に疑惑の目を向け、連名でシューマーに書簡を送り、巨大ITとの関係をただした。

しかし――シューマーが法案を採決にかける判断を下すことはなかった。「議員の支持が十分に集まっていない」。シューマーは周囲にそう語っていたという。

これによって法案の成立は消えた。いや、葬られた、と言うのが正しいのかもしれない。巨大ITは強力なロビー活動によって、議員との戦いに勝利したのだ。

2022年末、ブルームバーグ通信は法案を巡る内幕記事で巨大ITの激しいロビー攻勢を描き、こう総括した。

「巨大IT企業を規制する立法活動はアマゾン、アップル、グーグル、メタによる壮大なロビー活動の犠牲となり、崩壊してしまった」

「グーグルの敵」カンターの反撃

国家と巨大ITの激しい攻防の末、規制法案が葬られた2023年1月、国家が反撃に出た。司法省が再びグーグルを提訴したのだ。バイデン政権下で司法省がグーグルを訴えるのは初めて。反トラスト部門トップ、「グーグルの敵」として知られるジョナサン・カンターによる強力な一撃だった。

「グーグルは15年にわたりライバルを追い出し、競争を減退させ、ニュースサイトやコンテンツ制作者の収入を減らし、イノベーションを消してきた」

カンターはグーグルをそう糾弾した。司法省が反トラスト法に違反するとしたのは、グーグルのネット広告事業だった。

外からは見えないが、私たちがウェブサイトで見るネット広告の多くは、グーグルの巨大なシステムで動いている。広告を出す「広告主」と、広告枠をもつ「ウェブサイト」。グーグルは広告主向けのシステムとサイト向けのシステムの両方を支配する。

そして、その間では、それぞれの売買を仲介する巨大な取引所のようなシステムを運営している。取引所は、ネット広告のスペースを売るウェブサイトと、それを購入しようとする広告主の間で高速オークションを実施。その結果を、サイトを見る人に表示する。

グーグルは広告主側、ウェブサイト側、そして取引所と、あらゆる段階で広告システムを支配していた。訴状によると、それはグーグル幹部にすらこんな疑問を抱かせるものだという。「例えるなら、（米金融大手）ゴールドマン・サックスやシティバンクがニユーヨーク証券取引所を所有しているようなもの。深い問題があるのではないか」――。

広告を支配するグーグルが競合他社を買収して排除したり、システムを企業に強制的に使わせたり、ライバルの台頭を阻止するためにオークションを操作している。これが司法省の主張だった。司法省はそうした反競争的行為を是正するため、グーグルの広告システムの一部を分割するよう、裁判所に求めた。

これに対してグーグルはまたも激しく反発。

「司法省の訴訟は、オンライン広告業界の巨大な競争を無視している」「この訴状は、広告システムの仕組みを誤って説明している」と怒りを露わにした。

グーグルは２０２０年の司法省提訴時と同様、一歩も退かない構えだ。

「米国の人々のために働くツールを壊そうとする試みに、激しく対抗していく」

バイデン大統領の「反巨大ＩＴ」宣言

「競争のない資本主義は資本主義ではありません。それは収奪であり、搾取です」

「反トラスト法の執行を強化し、大手オンライン・プラットフォームが自社製品を不当に有利にすることを防ぐため、超党派の法案を成立させましょう」

米大統領、ジョー・バイデンが話し終えると、議員らが立ち上がって拍手した。2023年2月の一般教書演説。向こう1年間で進めたい政策について大統領が議会に説明する、その場でバイデンは「反巨大IT」の姿勢を鮮明にした。

バイデンは2023年の年明けから巨大ITへの攻撃を強めていた。1月にはウォール・ストリート・ジャーナルに「共和党と民主党、結束してビッグテックの不正行為に対抗せよ」と題して寄稿。「IT企業のプラットフォームが大きくなると、競合他社を排除したり、不利益を与える形で自社製品を宣伝したり、競合他社に大金を請求したりするケースが少なくない」としたうえで、「私の政権は持てる法的権限でこれらの問題に取り組んできたが、限界がある。民主党と共和党が協力し、ビッグテックの責任を追及する強力な超党派法案を可決するよう、強く求める」と訴えた。

就任から2年。バイデンがここまで明確に巨大ITを批判するのは珍しかった。

もっとも、巨大IT規制実現のハードルは高い。米国では、2022年の中間選挙の結果、野党の共和党が下院で過半数を握り、上院は民主党、下院は共和党というねじれが生まれている。民主党が法案を成立させるには、共和党の支持が不可欠だが、共和党は、伝統的に企業活動への介入には慎重だ。巨大ITを規制する法案を米議会で成立させるのは非常に難しい状況になったといえる。民主党が上下両院で多数派だった2022年が巨大IT規制法案を成立させる最後のチャンスだったのかもしれない。

　2023年の年明け、大統領特別補佐官、ティム・ウーは静かにホワイトハウスを去った。ニューヨーク・タイムズによると、退職は個人的な理由。ウーは同紙の取材に対し、「競争政策と経済構造における大統領の役割を再び確立したことを、誇りに思っている」と話した。

　確かに、バイデンは競争政策に熱心だ。なぜなのか考えてみると、そこには競争を活性化させて様々な料金を引き下げ、国民の支持を得るという実利的な思惑、そして経済に対する政府の関与を強め、自由放任の新自由主義の流れを変えるという大局的な思惑があるように思う。

　大統領が「反巨大IT」の旗を掲げる以上、米政府はGAFAを相手に一歩も引くことはないだろう。GAFAも大量のロビイストを動員し、対抗し続けるに違いない。その戦いは長く、激しいものになりそうだ。

第8章　GAFAの「政治とカネ」研究

「彼らは私たちのオフィスに入ってきて、自分たちの言い分を話しますが、もう一方の言い分を聞くことはほとんどありません」――ケン・バック（米下院議員）

ロビーマネーを追う

前章で述べたとおり、巨額の収益を上げるGAFAは、米政府や議会の政策決定に影響を与える「ロビー活動」に多額の資金を投じている。GAFAの幹部や従業員らによる大統領候補や議員候補への「政治献金」もある。「フォロー・ザ・マネー（Follow the money）」。こうした金の動きを追うと、GAFAの実態が浮き彫りになる。

米非営利団体「オープン・シークレッツ」のデータによると、GAFAのロビー活動費は2022年、4社合計で約6300万ドル（約82億円）に上る。

4社別では、①アマゾン＝2138万ドル、②メタ＝1915万ドル、③グーグル親会社アルファベット＝1318万ドル、④アップル＝936万ドル――の順で、民間企業ではアマゾンが1位、メタが2位。私は2019年からロビー活動費を追っているが、この2社は4年連続でワン・ツートップだ。ロビー2強といえる。

バイデン政権発足後、米議会や独占禁止当局が巨大ITに対する規制強化の動きを加速したため、GAFAはそれに対抗する形でロビー費を増額している。

各社が米議会に提出した報告書によると、特にロビー活動が目立ったのは、「米国技術革新・選択オンライン法案」などの巨大ITの規制強化法案だ。アマゾンの事業分割につながるような規制を含む法案もあっただけに、大量のロビイストを動員し、米議会関係者にロビー活動を展開していた。ホワイトハウスや、連邦取引委員会（FTC）、司法省などの独禁当局に対するロビーもあった。

報告書をみると、アマゾンが最も節操なく、あらゆる分野、あらゆる関係機関へロビーをかけている印象だ。

若者への悪影響などをめぐって元社員が内部告発したメタでは、ソーシャルメディアの規制強化に関連する法案へのロビーも目立つ。

支出は、主にロビー活動の担い手であるロビイストに充てられるといわれるが、驚くのはロビイストの数だ。オープン・シークレッツによると、アマゾンは125人、メタは75人、アルファベットは96人、アップルは50人のロビイストを擁する。

「この建物の隅々には、ハイテク産業に雇われたロビイストがいる」

公聴会で議員が嘆いていたのを思い出す。

アマゾン：「花への水やり」プログラム

ロビーにまつわる話は興味深いものが多い。ここではアマゾン、グーグル、アップルのロビーに関する話を紹介していきたい。

アマゾンはロビー活動の王者だ。2022年のロビー費は2138万ドルで民間企業トップ。読売新聞の調査では、2021年は2059万ドル、2019年は1679万ドルで、いずれも民間企業で最大だった。

アマゾンのロビー活動はビジネス同様、威圧的で、首都ワシントンで反感を買っているという。それを2022年まで率いていたのが上級副社長のジェイ・カーニーだ。カーニーはオバマ政権でホワイトハウスの報道官を務め、副大統領だったバイデンの広報担当ディレクターを務めたこともある。2015年、アマゾンの広報・政府渉外の統括者に転じ、社内に「ロビー活動の巨大組織を構築した」という。彼の加入後、アマゾンはロビー活動を拡大した。

ロイター通信は2021年、アマゾンが音声サービス「アレクサ」などの情報収集に影響が出ないよう、各州のプライバシー規制を骨抜きにするようなロビー活動を展開したと報じた。ロイターによると、カーニーは、「アレクサの成長を阻害する米国やEUの規制・法律を変更、または阻止する」ことを目標に、大規模なロビー活動を展開した。多くの消費者の音声データを蓄積し、技術開発で優位に立つためだったという。

アマゾンに好意的な政治家を増やす活動は「花への水やり」プログラムと呼ばれ、カーニーはこの活動を拡大し、政治家との交流を大幅に増やしていった。プログラムの目的は「手入れの行き届いた庭」を作ることにあり、カーニーらは政治献金や会合、アマゾンの施設ツアーなどを通じて多くの政治家を取り込んでいったという。

カーニーは2022年、アマゾンを退職し、エアビーアンドビーの政策責任者に転じた。強引な手法が敬遠されたとの見方もある。

「アマゾンはワシントンで攻撃的な姿勢をとっていると批判されているが、多くのアマゾン幹部はカーニー氏のスタイルが原因だと考えている」

「ホワイトハウスで彼の力は麻痺していた。彼の元上司バイデンは、しばしばアマゾンを公然と批判し、ホワイトハウスのイベントでもアマゾンは敬遠されがちだった」

ウォール・ストリート・ジャーナルはカーニーのアマゾン退職をそう報じている。

グーグル：独禁当局トップは元ロビイスト

米国ではロビー活動はごく一般的だ。政府高官が実は過去に企業のロビイストだったということもある。しかし、巨大ＩＴの「敵」である司法省反トラスト部門トップが過去にグーグルのロビイストだった、と知った時には驚くしかなかった。

トランプ政権下の２０１９年、司法省は巨大ＩＴの調査に乗り出すと発表。調査の指揮を執るのは反トラスト部門トップ、マカン・デラヒムだった。

「競争の規律が働かなければ、（巨大ＩＴが）消費者の要求に応えなくなる」

デラヒムはそんな声明を出し、調査の重要性を強調した。

デラヒムはその後も好調だった。米議会公聴会ではグーグルとフェイスブックの名を挙げ、両社のネット広告事業を調査していると明かした。当局が調査対象の企業名を公にするのは珍しいことだった。

ところが、驚くことにそのデラヒム本人がグーグルのネット広告事業と密接に関わっていた。デラヒムは2007年、グーグルのロビイストとして、グーグルによるネット広告大手「ダブルクリック」買収の承認を支援していたという。

「(グーグルは) ワシントンでの活動を強化するため、外部の三つのロビー会社とも契約した」

「(共和党寄りの一つのロビー会社は) ブッシュ政権で司法省副次官補として独禁法チームの責任者を務めたマカン・デルラヒムを迎えたばかりだった」

グーグルが巨大化する過程を追った『グーグル秘録』にデラヒムの名前が出てくる。

画像や動画の広告に強みを持つダブルクリックの買収は、ネット広告市場でのグーグルの支配力を決定づけたと言われていた。

「彼ほど分かりやすい形で (元ロビー担当企業に) 偏った政策を打つ人はいないですよ。司法省の反トラストの長になった人間がそれでいいんですかね」

ある米国の弁護士からは、そんな話も聞いた。かつてグーグルのロビイストだった人物がグーグルの調査を指揮する。そんなことが許されるのだろうか——そう思うのは私だけではなかったろう。

２０２０年初め、デラヒムは静かにグーグルの調査から身を引いた。司法省は「以前の仕事との利害関係を改めて検討したところ、巨大ＩＴの調査に関わる案件から身を引くべきだと判断した」とする短いコメントを出しただけだった。

政権と民間の間でめまぐるしく人が出入りする「回転ドア」。急成長の過程で、将来の独禁当局トップをロビイストとして取り込んでいた事実は、グーグルの強力な政治力を感じさせた。

アップル：巧妙なアップストア規制阻止

アップルが２０２２年に米国でロビーに充てた金額は９３６万ドルと、ＧＡＦＡの中では最も少ない。だが、私の印象では、アップルが最も効果的にロビー活動をしているようにみえる。それはＣＥＯ、ティム・クックの強力な「トップロビー」も関係しているだろう。

裏ではえげつないこともやっている。２０２１年、ワシントンのある議会スタッフの転職が注目を集めた。巨大ＩＴの規制を検討する民主党上院議員、エイミー・クロブシャーの立法スタッフが退職し、アップルの対政府担当になったのだ。

クロブシャーはアップルのアップストアに対する規制を強く唱え、規制法案を提出していた。その手の内を知るスタッフが「反対側」のアップルに取り込まれる形になり、関係者に衝撃が走った。

他社より静かにロビー活動を展開してきたように見えるアップルだが、アップストアの規制法案に対しては、かなり積極的に対抗している。

「アップルのロビーマシンは、いかにしてジョージア州を攻略し、勝利したのか？」

米政治専門紙ポリティコは2021年、米ジョージア州など州議会でのアップリストア規制法案をめぐるアップルの激しいロビー活動を白日の下にさらした。同紙によると、ジョージア州の議員がアプリストア規制法案を提出すると、アップルは直ちに5人のロビイストを雇い、法案の反対運動を展開。ロビイストたちは法案をアップル寄りに修正するように働きかけ、勢いを削いだという。別の州の議員は「アップルは法案を潰すために脅迫し、多額の資金を使うことができた」と話したという。

州議会でアプリストアの規制法案が提出されるや否や、アップルが投資の約束や資金の引き揚げで議員に強い圧力をかけ、法案が失速する——複数の州で似たような事例が起きているという。

アップルはアップストアを規制する動きが強まる欧州でも2022年、グーグルを上回るトップクラスのロビー費を投じた。

そして、欧州と同様の規制を検討する日本でも、規制阻止に向けて政界関係者への働きかけを強めている。「ロビイスト」を務めるのは元官僚たち。アップル日本法人の「政務部長」は総務省出身だ。

ある政界関係者は日本でのGAFAロビーの実態を明かす。

「GAFAは役所の優秀な若手を引き抜いてロビイストにしている。法務省、公取、経産省出身者もいる。この前まで逆側にいたじゃないか、と言いたくなるが、役所出身だけあって、誰がキーマンで、誰が敵で味方か、完全に把握している」

「有力な政治家や将来有望な政治家には、実に丁寧にコミュニケーションをとり、政策を見て、デジタル分野の政策実現にお役に立てることがあれば、と近づいてくる。アメリカで議員と議論したい、と言えば、お任せください、と外務省よりきちんとした議員を提案してくる。かゆいところに手が届く、という感じだ」

GAFAと友好関係を築いて政策を進める議員もおり、中には、すでにGAFA側に取り込まれている大臣経験者もいるという。デジタル関連の政策を進めるうえで、日本でも利用者が多く、資金が豊富なＧＡＦＡの協力は議員らの大きな助けになるに違いない。議員からすれば、ＧＡＦＡと仲良くするメリットのほうがデメリットより圧倒的に大きいだろう。日本でも広がるロビーの網。ＧＡＦＡロビーは決して遠い国の話ではない。

潤沢なマネーでロビー活動を拡大

企業は巨大化するにつれ、多くの問題を抱える。中には的外れの政策もあるだろう。自社の言い分を主張し、政策の修正を働きかけるのは企業として当然ではないか——もちろん、その通りだ。しかし、資金力のある巨大企業ほど多くのロビイストを雇い、主張を通しやすくなるのも事実だ。大きな声だけが通り、小さな声は無視される。そんな社会は健全とは言えない。

２０２０年、ＧＡＦＡによる市場支配の実態を調べるため、中小企業の経営者ら４人を証人として招いた米議会公聴会。「ロビー活動の予算はどの程度あるのか」。議員の質問に、４人は口々に答えた。

「ゼロ」、「ゼロ」、「ゼロ」、「予算はありません」。

それを聞いた議員、ケン・バックは言った。

「彼ら（GAFA）は私たちのオフィスに入ってきて、自分たちの言い分を話しますが、もう一方の言い分を聞くことはほとんどありません。私たちは皆さんのような企業が活躍できる環境を作り続けるため、最善を尽くします」

GAFAは潤沢な資金をロビー活動に投じ、議員のオフィスに出入りし、存分に政策に影響を与える。しかし、その支配下にある中小企業はそうした資金をもたない。

「（巨大ITの）勢力拡大は、政策決定プロセスに対する影響力の増大にもつながっている。ロビー活動とシンクタンクや学者への資金提供を組み合わせることで、支配的なプラットフォームはその影響力の範囲を拡大し、統治をさらに強化している」

米議会の調査報告書は、巨大ITのロビー活動の問題点をそう指摘する。

企業のロビー活動に詳しいアメリカン大学教授、ジェームズ・サーバーによると、「20年前、IT業界にとってロビー活動はそれほど重要ではなかった」という。「マイクロソフトのビル・ゲイツはワシントンと関わらずに会社を運営できると考えていたし、自分たちのビジネスはワシントンに関わる必要のないものだと感じていました。彼らは『政治が嫌い』だったのです。しかし、彼らは政治に関与しないことで厳しい教訓を学びました。独占問題やその他の規制の問題で矢面に立たされたからです」。

「この10年で、多くのＩＴ企業がワシントンにオフィスを開設し、ロビイストを雇うようになりました。フェイスブックは非常に大きなオフィスをもち、多額の資金を費やしています。独占、プライバシー、サイバーセキュリティーなど問題が山積し、ロビー活動におけるＩＴ企業の関与が大きくなっています。一度多額の資金を投じると、減らすのは難しい。巨大ＩＴはロビー活動のプレーヤーであり続けるでしょう」

サーバーは「ロビー活動費は氷山の一角」とも言った。政策に影響を与えようとする企業の活動はロビーに限らない。シンクタンク、メディア、広告などに幅広く拠出されるマネーで、自分たちに都合よく物事を動かそうとしているというのだ。

学界とのただならぬ関係

これを裏付けるような調査結果もある。「グーグル・トランスペアレンシー・プロジェクト」が２０１７年に出した報告書によると、２００５年から２０１７年の間、グーグルは３００を超える公共政策の研究論文に資金提供していた。

資金提供を受けた論文はスタンフォード大やハーバード大、マサチューセッツ工科大

（ＭＩＴ）など米国の名だたる大学が関係していた。独禁法、プライバシー、検索の中立性などグーグルの経営にとって重要な政策を網羅しているが、６割超の研究者がグーグルから資金提供を受けていることを開示していなかったという。

グーグルのビジネスが脅威にさらされると、資金を提供する論文が急増する。米独禁当局が調査を始めた翌年の２０１２年に独禁法関連の論文が急増、13年に当局が調査を終えると数は減ったが、15年に欧州当局の追及が強まると再び増加した。

論文にはグーグルを批判するものもあるが、グーグルの立場を支持する内容が圧倒的に多いという。中には、グーグルが資金提供をほのめかし、独禁問題で自らに有利な論文を書いてくれる学者に執筆を依頼していた例もあるという。

グーグルが「出資」した３００超の論文は、「親グーグル」の研究者同士がお互いの論文を引用することで広く拡散し、約６０００回引用されていたという。報告書は「グーグルは喫煙の影響におけるたばこ産業や、気候変動におけるエネルギー業界など、学術研究に不公正に影響力を行使した企業のリストに加わった」と批判した。

豊富な資金を使ってシンクタンクや非営利団体への影響力も強めているようだ。米非営利団体の２０１９年の報告によると、グーグル、フェイスブック、アマゾンは影響力のある保守、中道派のシンクタンクや非営利団体に資金を投入し、「密かに影響力を行使している」という。企業寄りのシンクタンクに寄付をし、シンクタンクが巨大ＩＴを擁護する記事を発信している例もあるという。

ニューヨーク・タイムズは２０２０年、グーグルやアマゾンが多額の資金を提供するジョージメイソン大学「世界独禁法研究所」が、世界各国の規制当局者らを学術イベントに招待し、一部の参加者の旅費やホテル代、食事代を負担していたと報じた。

「巨大ＩＴと反トラストに関する10の神話」

独禁問題で批判が高まるなか、巨大ＩＴ側は自ら資金提供するシンクタンクを介して反論を試みている。例えば、グーグルやアマゾンが資金を提供するとされる米シンクタンク、プログレッシブ・ポリシー・インスティテュート（ＰＰＩ）は、「巨大ＩＴと反トラストに関する10の神話」と題した２０２０年の投稿で、巨大ＩＴを強力に擁護している。巨大ＩＴの思考回路が分かるため、以下に要約してみたい（カッコ内は主張の骨子）。

神話1：「独占企業である」巨大ITを批判する人は勝手に狭い市場を設定して、「独占」とされる3分の2を超える占有率を示そうとする。巨大ITはその境目を超えていない。**（独占ではない）**

神話2：「消費者を害する」独禁当局は企業が独占力を利用して価格を高くし、技術革新を減らすことで社会に損害を与えたことを証明しないといけない。しかし、デジタル市場の価格は下がり続けている。ソーシャルメディアの価格はゼロ。アップルがアプリストアで課している30％の手数料はプラットフォームの相場の範囲内。**（手数料などは高くない）**

神話3：「技術革新を起こさない」競争が激しいと、支配的な企業であっても新興の競争相手に追い落とされる不安を抱く。巨大ITは研究開発の支出でリードしている。**（競争はある）**

神話4：「無敵である」デジタル市場では利用者が増えれば増えるほど、利用者にとっての価値が高まる。この「ネットワーク効果」は市場支配力の源泉になり得る一方、消費者に大きな利益をもたらすこともある。この効果は逆にも作用し、利用者を失い始めると、サービスの価値が下がり、急速に崩壊する。**（それほど強くない）**

神話５：「新興企業を殺している」巨大ＩＴの圧倒的な存在感によって、それに対抗する新興企業が成長するシステムが死滅するというが、フェイスブックと競争するティックトックが成功した事例と矛盾する。新興企業は狭い市場でうまくやって一番になり、徐々に拡大していく。**（新興企業を圧迫していない）**

神話６：「一つの市場でしか競争しない」巨大ＩＴはそれぞれ得意とする分野を持ちながら、常に互いの領域に侵入し、争っている。あらゆる製品・サービスにおいて、少なくとも巨大ＩＴ２社が競合するサービスを提供している。**（多くの市場で有力な競争相手がいる）**

神話７：「データが参入障壁」障壁は多くの人が考えているより小さく、データを増やしても機能改善にほとんど効果がないこともある。差別化要因は、データの量ではなく、モデルの質。**（データは参入障壁にならない）**

神話８：「株式市場の集中度が史上最高」１９６０年代から70年代にかけての上位企業の集中度は、現在よりもはるかに高かった。現在の集中度は、歴史的にみて異常ではない。**（株式市場の「寡占」を否定）**

神話９：「米国民に嫌われている」米国人は巨大ＩＴをほかの企業より信頼している。

米国人の90％がアマゾンやグーグルに好意的だという調査がある。米国人が最も信頼できる機関はアマゾンとグーグルが軍に次いで2位、3位。最も信頼していない機関は？議会である。**（国民は議会より巨大ＩＴを信頼）**

神話10：「買収が反競争的」巨大ＩＴによる買収は、起業家がよりリスクの高い事業を行うことを促す安全網の役割を果たしている。過去の買収を反競争的とすることの問題は、後知恵のバイアスがかかること。インスタグラムは現在多くの利用者を抱えるが、フェイスブックが買収した当時は成功を疑問視する声が多かった。**（新興企業買収に問題はない）**

ざっと以上のように「神話」を否定した上で、次のように結論づけた。

「独禁法の議論における最大の誤解は、人々がすべての独占が違法だと思い込んでいることにある。巨大ＩＴが違法なことをして独占しているとも、法的にみて独占しているとも思えない。巨大ＩＴが大成功を収め、それぞれの分野で支配的になっていることは自明だが、その規模の大きさは、最高の製品を生み出し、競合他社より消費者が求めるものを効率よく提供しているから、という説明が正しいのではないか」

内容には頷ける部分もあるが、こうした主張をＧＡＦＡ自身ではなく、シンクタンクがしていることに、どうしても胡散臭さを感じてしまう。

この文章が投稿されたのは、２０２０年の7月29日。繰り返し紹介してきたＧＡＦＡ4トップの議会証言と同じ日だった。公聴会での４人のＣＥＯの反論はこの投稿に類似しており、シンクタンクとＧＡＦＡが連携していることをうかがわせた。

米議会の調査報告書は巨大ＩＴのシンクタンクなどへの資金提供をこう批判した。

「学者や利益団体に資金を提供することで、支配的なプラットフォームはその影響範囲を拡大し、規制のあり方を形づくることができる」

大学、シンクタンク、非営利団体。巨大ＩＴは私たちの知らないところで、静かにその影響力を広げている。

「トランプ嫌い」の政治献金

ＧＡＦＡには、ロビー活動費以外のカネもある。政治献金だ。大統領選や議会選挙では、企業の幹部や従業員、関連する政治団体がどの政党や候補者を強く支持しているかが浮き彫りになる。ロビー活動費と異なり、政治献金は従業員らが個人で出すカネが中心になるため、従業員の支持政党や思想の傾向を把握することができる。

民主党の大統領候補者と共和党のトランプが争った過去の米大統領選は、ＧＡＦＡの「トランプ嫌い」がはっきり表れた。

米非営利団体オープン・シークレッツのデータを基に読売新聞が集計したところ、民主党のヒラリー・クリントンとトランプが争った２０１６年の米大統領選では、ＧＡＦＡからヒラリーへ約３２０万ドルが献金されたのに対し、トランプには約４万ドル。その差は実に80倍に上る。２０２０年の選挙ではバイデンへの献金が４社合計で約１０００万ドル、トランプは50万ドル超。20倍近い差がついたが、トランプ嫌いは多少和らいだという見方もできる。

４社別でみると、グーグルの親会社アルファベットのバイデンとトランプの献金額の「格差」は37倍。アップル16倍、フェイスブック40倍、アマゾンは８倍だった。うちバイデンへの献金額が一番多かったのはアルファベットで４４０万ドル。トランプへの献金額が一番多かったのはアマゾンで30万ドルだった。トランプが嫌っていたアマゾンにトランプ支持者が多いというのは興味深い。

ＩＴ企業が集まる米西海岸のシリコンバレーはもともと政治的にリベラル色が強く、

民主党との関係が深いとされるが、政治献金の動向からそれが裏打ちされた形だ。

米カリフォルニア大学バークレー校准教授、デイビッド・ブルックマンが巨大ＩＴ社員のややねじれた思想傾向について解説してくれた。

「巨大ＩＴの経営者や従業員は、高学歴でリベラルな環境で育った人が多く、かなり左寄りの思想をもつ傾向があります。破壊的なＩＴ企業を起こすような人は、『権威主義』――伝統や権威を尊重し、権威者や先祖から受け継いだルールに従うべきだという考え方――を嫌います」

「ところが、政府や組合に対しては否定的な見方を示し、こと規制の問題となると強硬な保守派のような態度を見せます。彼らの多くは公然と組合を敵視していますが、社会政策などはリベラル派が信じている多くのことも信じています」

グーグルを扱った第６章で触れたように、共和党右派からは、巨大ＩＴの左派傾向がＳＮＳでの保守的な言論の排除につながっているとして批判が多い。特にフェイスブックやツイッターはそうした批判の矢面に立たされてきた。

過去の米議会公聴会で、両社のＣＥＯが共和党議員からこう聞かれたこともある。

「御社の社員の政治的イデオロギーは、保守派と進歩的リベラル派が半々でしょうか、それとも90％がリベラルで、10％が保守派に近いでしょうか？」

フェイスブックCEOのザッカーバーグは「正確な数字はわかりませんが我々の従業員は左寄りになっていると思います」と左派傾向を認めた。一方、当時ツイッターCEOだったジャック・ドーシーは「構成はわかりません。それは私たちが尋ねるものでも、重視するものでもないからです」と答えた。

ツイッターはその後、イーロン・マスクから「左派に強く偏っている」として投稿監視のあり方が批判され、マスクが同社を買収する理由の一つになった。

経済や言論に大きな影響力をもつ巨大ＩＴ。そこにいる従業員の思想傾向が世の中を方向づけることもある。政治献金の数字はその一端を知る、貴重な手がかりをもたらしてくれる。

第９章　マスクの手に握られるツイッターの「言論」

「ツイッターはもっと公平であるべきです。現在、強い左翼傾向が出ています」――イーロン・マスク（テスラＣＥＯ）

マスク、ツイッターをこき下ろす

始まりは一通の書簡だった。

「私はツイッターが言論の自由のためのプラットフォームになると信じて投資しましたが、その社会的要請に応えられないことがわかりました。ツイッターは生まれ変わる必要があります」

２０２２年４月、電気自動車大手テスラＣＥＯ、イーロン・マスクがツイッター経営陣に突如、買収提案を突きつけた。マスクは買収提案が判明した直後に、米非営利団体「ＴＥＤ」のイベントに出演。司会者から買収を提案した理由を問われ、こう答えた。

「言論の自由のために開放的な場があることはとても重要です。ツイッターは街の広場のようなもの。人々が法律の範囲内で自由に発言できることが本当に重要なのです」

マスクはツイッターによる投稿の取り締まりが行き過ぎだと考えているようだった。買収が実現した場合、問題投稿の削除やアカウント凍結といった投稿者に対する処分を極力、減らすことを示唆した。

これによって1人の男のアカウントが再び脚光を浴びることになる。米国の前大統領、ドナルド・トランプ。2021年1月、支持者が議会を一時占拠した事件を受け、ツイッターは暴力を煽るおそれがあるとして、トランプのアカウントを永久停止するという異例の処分を下していた。言論の自由を理由に、マスクがトランプのアカウントを復活させるのではないか——そんな観測が広がった。

米ケイトー研究所の世論調査によると、SNSからのトランプの追放は、民主党支持者の93%が賛成する一方、共和党支持者の85%が反対し、意見が真っ向から対立していた。マスクの判断が大きな論争を呼ぶのは必至の情勢だった。

SNS運営会社による投稿削除やアカウント停止といった処分をめぐっては、米国内で左派の民主党と右派の共和党が長く対立してきた。民主党は誤った情報を積極的に取り締まるべきだとの立場。一方の共和党は言論の自由を主張し、SNS運営会社による取り締まりを検閲だと非難してきた。

4月下旬、マスクのツイッター買収が固まると左派と右派の対立が先鋭化。ツイッター社内にも動揺が広がった。ロイター通信によると、ツイッターの社員集会では、社員からトランプのアカウントの扱いについて質問が出た。当時のCEO、パラグ・アグラワルは、「買収完了後、どの方向に進むかは分からない。それは彼（マスク）に尋ねるべきだ」と答えたという。

マスクの動きは速かった。「ドナルド・トランプを追放したのは正しくなかった」。5月には早速、買収後にトランプのアカウントを永久停止した措置を撤回すると表明。ツイッターが過去に下した処分をこき下ろした。

「永久追放は、誰もが意見を述べられる広場としてのツイッターへの信頼を根本的に損なう、道徳的に悪い決断でした。ひどく愚かです」

流出した内部文書ツイッターファイル

「私に、そしてアメリカ・ファースト、メイク・アメリカ・グレート・アゲインに投票した75000000人の偉大なアメリカの愛国者は、将来にわたって大きな声を持つことになるだろう。彼らはどんな形であれ、軽視されたり、不当に扱われたりすることはないだろう!!!」

ツイッターは、2021年1月8日にトランプが発信した二つの投稿が「暴力の賛美」を禁止する規約に違反するとして、アカウントの永久停止に踏み切った。大統領のアカウントを停止するという異例の判断。ドイツ首相、アンゲラ・メルケルが「表現の自由は、重要な基本的権利だ」と懸念を示すなど、トランプ追放の波紋は世界に広がった。

2022年末、その決定の内幕が暴露される。「ツイッターファイル」——ジャーナリストがツイッター関係者から入手したという数千の内部文書には、永久停止した際のツイッター社内のやり取りが克明に記されていた。流出元は不明だが、公開前、ツイッターを買収したマスクが文書の存在をほのめかしており、マスクが何らかの形で関わっているとみられている。

文書をもとに、議会占拠事件のあった1月6日からの3日間を振り返ってみよう。

暴動が起きた後、元ファーストレディーのミシェル・オバマらがトランプをツイッターから追放するよう呼びかけ、ツイッターに対する世論の圧力が強まった。

南太平洋のフランス領ポリネシアで休暇中だったCEO、ジャック・ドーシーは電話会議に参加したが、対応の多くを幹部に委ねる。それが法務などの責任者を務めるビジャヤ・ガッデと、安全部門の責任者を務めるヨエル・ロスだった。

ガッデはインドからの移民。経済誌フォーチュンによれば、処分を決める際の最終決定権者という。もともと処分を強化すべきだと考えていたロスは暴動後、「このことを気にかけている人たちは、我々がいる場所に満足していない」とある従業員に伝え、トランプに対する厳しい処分が求められていることを示唆した。

「アカウントを停止するという、正しいことをしなければならない」

社内でもトランプ追放の声が高まったが、社内の評価チームが下した結論は違った。

「これを扇動だと言うのは難しい」。現場の判断は「規約に違反するものはない」だった。

しかし、幹部の言葉によって事態は一変する。それから90分も経たないうちに、規約の責任者ガッデが「さらなる暴力への扇動をコード化（暗示）したものではないか」と言い出したのだ。

表面上はルール違反ではないツイートであっても、さらなる暴力につながる扇動がコード化されていることはないのか。例えば「アメリカの愛国者」や「彼らはどんな形であれ、軽視されたり、不当に扱われたりすることはない」という言葉はどうなのか――数分後、担当チームは投稿が「暴力行為の賛美」を禁止する規約に違反しているとして処分する方向に舵を切る。数時間後、トランプのアカウント永久停止が発表された。「さらなる暴力を扇動する危険性がある」という理由だった。

ツイッター社内では多くの社員がトランプ追放を祝福したが、「規約に根ざしていないその場しのぎの決断」「検閲は公共の会話を破壊する」など、疑問や反対の声も上がった。ただ、そうした声は圧倒的に少数派だった。ガッデら幹部は投稿者の処分における「最高裁判所」であり、「その場で、しばしば数分で、推測や直感、さらにはグーグル検索に基づいて、大統領に関わる案件でさえも裁定していた」――ツイッターファイルを暴露した米ジャーナリスト、マット・タイービは一連のやり取りに批判的な見方を示す。

「『ツイッターファイル』は、世界で最も影響力のあるソーシャルメディアの一つであるプラットフォーム内部の驚くべき物語を明らかにします。これはフランケンシュタインのように、人間が作った仕組みが設計者の手を離れ、成長していく物語です」
タイービが記すように、ツイッターは多数の人が瞬時にコミュニケーションできる革新的なツールであり、世界とのリアルタイムの会話を本当の意味で実現したといえる。しかし、有害な投稿や外部からの削除要求が増えるにつれて、投稿の処分を強化するようになり、「障壁なく、瞬時にアイデアや情報を創造し、共有する」企業理念は変質を余儀なくされた。

ツイッターファイルを入手、公開したタイービは、ツイッターには左派の考え方をもつ社員が圧倒的に多く、そのことが処分を歪めていると主張する。

そうした見方にも一理あるだろう。しかし、私はツイッターに多少、同情的だ。左右から真逆の理由で叩かれてきたツイッターが、トランプ追放を求める声に抵抗していたことも知っているからだ。

当時CEOだったドーシーはトランプの追放決定後、こう投稿していた。

「私たちが大統領を追放しなければならないことに、私は喜びも誇りも感じない。私たちは安全に対する脅威に基づいて、最高の情報を使って決断を下しました。これは正しかったのでしょうか？」

「このような行動を取ることは、人々の会話を分断してしまいます。そして、私が危険だと思う前例を作ってしまう。個人または企業が、世界における公共の会話の一部に対し、力を持つということです」

「企業が投稿について処分を下すことは、政府がアクセスを排除することとは異なりますが、ほとんど同じように感じられるかもしれません」

巨大になりすぎたがゆえに、国家を分断させかねない判断を民間企業が負う。その影響力に巨大ＩＴ自身も戸惑い、手に負えなくなっているようにもみえる。

トランプ復活、広告停止で大混乱

紆余曲折の末、マスクは２０２２年10月にツイッターの買収を完了したが、その後ツイッターは混乱を極めている。

「民意は示された。トランプは復活する。（ラテン語で）民の声は神の声」

11月、マスクはトランプのアカウント復活の是非を問う投票をツイッター上で実施。賛成が51・８％、反対が48・２％となり、トランプのアカウントを復活させた。

もっとも、トランプの反応は冷ややかだった。自身が主導する独自ＳＮＳ「トゥルース・ソーシャル」で「私たちはどこにも行かない」と投稿し、そこにとどまる意向を表明した。ツイッターのアカウントには新たな投稿は見当たらなかった（ところが2023年8月24日、約2年7か月ぶりに投稿を再開し、周囲を驚かせた）。

問題のある投稿が放置されるとの懸念から大企業が広告を停止する動きも広がった。2022年11月にはツイッターの広告主上位100社中、3分の1以上が広告を停止したと報じられた。

いらだったマスクはアップルにかみついた。

「アップルがツイッターでの広告をほぼ中止。彼らはアメリカの言論の自由が嫌いなのか？どうなっているんだ、ティム・クック？」

マスクは返す刀でアップルのアップストアの批判も始めた。

「アップルはツイッターをアップストアから締め出すと脅すが、理由は教えてくれない」

「iOSとアンドロイドの寡占のせいでアップストアの料金は明らかに高すぎる。これはネットの隠れた30％の税金だ」

これに慌てたのか、アップルCEOのクックは突如、マスクと会談。会談後、マスクは「良い会話だった。ツイッターがアップストアから削除される可能性があるという誤解を解くことができた。ティム（クック）は、アップルがそのようなことを考えたことはないと明言した」と投稿、和解を示唆した。

周囲を振り回す「お騒がせ男」マスクに、巨大な言論装置となったツイッターを制御できるのか――。

巨大ＩＴによる言論支配をめぐっては、米最高裁判所の裁判官も懸念を示している。保守派判事、クラレンス・トーマスは２０２１年に出した意見書でこう述べている。

「デジタルプラットフォーム企業は、言論に関して巨大な支配力を握っている。グーグルは、利用者と言論の間に入る門番となり、検索結果から排除したり、順位を下げたりすることができる。利用者を特定の情報から遠ざけることもできる」

「フェイスブックやツイッターは同様に、人の情報の流れを大きく狭めることができる。言論を遮断する権利は、民間のプラットフォーム企業に最も強力に握られている」

「こうした企業の支配権は非常に集中している。フェイスブックを支配しているのは１人（ザッカーバーグ）、グーグルは２人（創業者ペイジとブリン）だけだ」

「これほどの多くの言論について、少数の民間企業に支配権が委ねられている状況は前例がない。高度に集中した民間の情報インフラに我々の法原理をどう当てはめるのか、我々は近い将来、この問題に取り組まざるを得なくなるだろう」

ツイッターを買収し、言論空間の支配権を手にしたマスク。2023年7月には象徴だった青い鳥のマークをアプリから消し去り、「ツイッター」は事実上、消滅してしまった。マスクは今後、新ブランド「X」のもとで、さらに会社の刷新を図るだろう。その過程で、多くの混乱が生まれるに違いない。

言論空間の混乱は国家の統治にも大きな影響を与える。国家はただそれを見守るだけなのだろうか。

巨大ITに「言論」を握られた国家は新たな課題に直面している。

第10章　GAFAの苦境、チャットGPTの衝撃

「グーグルは莫大な利益を生み出している企業です。それにもかかわらず、私たちは解雇に怯えています」――グーグル日本法人従業員

人員削減の嵐が意味するもの

「グーグルは莫大な利益を生み出している企業であり、2022年に600億ドルの利益を上げ、1140億ドルの流動資産を保有しています。にもかかわらず全世界で1万2000人の従業員を解雇すると発表しました。私たちは解雇に怯えています」

「米国では深夜のメールによる通知のみで従業員が解雇されました。日本法人の社員はこの5週間にわたって、何の知らせもなく不安な状況下で放置されています」

2023年3月、グーグル日本法人の従業員が東京都内で記者会見を開き、労働組合「グーグルジャパンユニオン」を結成したと発表した。グーグル親会社のアルファベッ

トが1月、全従業員の約6％に相当する1万2000人を削減すると発表。人員削減の波が日本法人に及びつつあることから、労組を結成し、徹底抗戦する構えを見せた。

CEOのサンダー・ピチャイは1月20日、こんなメールを社員に送り、人員削減を伝えていた。

「グーグラー（グーグル従業員）の皆さん、難しいニュースをお伝えします。私たちは、約1万2000人の従業員を削減することを決定しました。私たちが苦労して採用し、一緒に働くのが好きだった、信じられないほど才能のある人たちとお別れすることになります。深くお詫び申し上げます。グーグラーの生活に影響を与えるという事実は、私に重くのしかかり、ここに至った決定に対して全責任を負います。

過去2年間、私たちは劇的な成長を経験しました。それに合わせて、私たちは現在とは異なる経済状況を想定して採用しました。

私は目の前にある大きなチャンスに自信を持っています。しかし、そのチャンスを十分に生かすためには、厳しい選択が必要です」

以来、米国では従業員が次々と解雇されたようだ。

日本法人の従業員によると「米国の解雇対象者は通知された瞬間にシステムに入れな

くなり、会議にも来ず、メールにも返信がこなくなった」といい、一緒に働いていたメンバーが突然、いなくなる日々が続いたという。

日本法人の社員は記者会見で次々と怒りを口にした。

「社会をより良くするため、ユーザーやプロダクトの視点でいろいろ改善しようとしている最中なのに、私たち社員には、こんなにも冷たい」

「グーグルは社員にとっても最高の会社であることを目指している、と言っていたし、我々もそう信じていた。（人員削減は）絆や信頼関係とか、そんなものはなかったんだ、という会社のメッセージだと受け取った」

ピチャイに対する思いを問われると、「がっかり」という答えが返ってきた。

盤石に見えたGAFAは人員削減の嵐に見舞われている。2022年11月以降、メタは2度にわたって1万人規模の人員削減を発表、アマゾンも計2万7000人超の削減方針を公表した。

アマゾンはAIスピーカーを手がけるデバイスや小売り、クラウドなど幅広い分野で削減する。アマゾンにとって過去最大規模の削減になる。CEOのアンディ・ジャシーは2023年1月、従業員に人員削減を告げるメッセージで、経営戦略上の必要性をこう強調した。

「私たちは時に、顧客とビジネスにとって最も重要な発明や簡素化の重要性を見落としてしまうことがあります。Invent（発明）とSimplify（シンプル化）の両方が本当に重要なのです」

　解雇の仕方も「シンプル」だったようだ。米ニュースサイト「インサイダー」によると、対象になった従業員は上司や人事担当者と顔を合わせることなく、電子メールだけで解雇を通知されたという。メールを受け取った直後に、仕事用のコンピューターへのアクセスを遮断された人もいたという。

　解雇をメール1本で知らせる。アマゾンの冷酷さがうかがえる話だ。

　メタも社員への愛着は薄いようだ。

「メタは、人と人がつながる未来を築いています。今日は、その一助となる『効率化の年』の最新情報をお伝えしたいと思います」

　2023年3月、メタCEOのマーク・ザッカーバーグは約1万人の追加削減を従業員に通知するメッセージをこのように始めた。随分と軽いノリだ。前年11月の人員削減発表時、泣きそうな顔で「責任は私にある」と言っていたのは一体、何だったのか。そもそも、「人と人がつながる未来を築く」ことと、社員の大量解雇は矛盾するのではないか。

ザッカーバーグは追加削減について「よりスリムで技術に優れた会社を作り、長期的なビジョンの実現に向け、業績を向上させるため」だと説明した。どう取り繕っても、彼にとって社員は「コスト」にすぎないのだろう。

ＧＡＦＡを襲う人員削減の嵐。だがそれをＧＡＦＡ衰退の始まりと考えるのは早計だ。巨大ＩＴが人員削減を迫られたのは、経済の先行きを楽観視し、人員規模を拡大しすぎたためだ。経済減速でその目算が狂い、利益率を上げるようコスト調整を迫られたにすぎない。

一連の人員削減を理解する上でむしろ重要なのは、ＧＡＦＡが金融市場に対して見せる、もう一つの顔だ。アルファベットＣＥＯのピチャイはコストが高すぎるとして大株主のファンドから人員削減を迫られていた。物言う株主として知られる「ＴＣＩファンド・マネジメント」は２０２２年秋、こんな書簡をピチャイに突きつけていた。

「従業員数が多すぎる。従業員を減らせばより効果的に事業を運営できる」

「従業員１人あたりのコストが高すぎる。経営陣は積極的な行動を取る必要がある」

スリム化によって効率よく稼げるようになれば業績が向上し、株価も上がる。それによって経営者は評価され、投資家は儲かる。市場の論理には、いかに巨大企業でも、いかに人格者のピチャイでも抗うことはできない。

人員削減発表後、アルファベット、メタ、アマゾンの株価は揃って上がった。利益率、そして株価を上げるために「調整」される社員はもちろん、納得しないだろう。日本のグーグル社員が言うように、グーグル親会社のアルファベットは2022年に600億ドル（約8兆円）もの莫大な利益を生み出しており、事業が大きく揺らいでいるわけではない。

それでも市場の論理は異なる。前出の「TCIファンド・マネジメント」はグーグルが大規模な人員削減を発表したその日、ピチャイにこんな書簡を送っている。

「1万2000人の人員削減は正しい方向への一歩ではあるが、過去の大規模な人員増加を覆すものではない。経営陣はさらに踏み込む必要がある」

「経営陣は2021年末の従業員数に匹敵する15万人程度まで削減することを目指すべきだと考える。そのためには20％程度の人員削減が必要」

「従業員の論理」と「市場の論理」。GAFAが優先しているのは市場の論理だ。でなければ、企業は生き残れない。だが、それは本当に正しいのだろうか。

「巨大化して力を得るにつれ、企業はますます手に負えない大きな存在に変貌していき、人間が何を必要とし、何を恐れているのか、そうした問題に当の企業が無関心になっていく」

100年前を生きた米最高裁判事、ルイス・ブランダイスの警告が嫌でも思い浮かんでくる。

チャットGPTの衝撃、未来への焦り

2022年末。グーグルに激震が走った。AIを使った自動対話サービス「チャットGPT」が急速に普及し、グーグル検索の独占を脅かそうとしていた。

チャットGPTが何でも答えてくれるなら、人々はグーグル検索を使う必要がなくなるのではないか——それがグーグルの最大の懸念だった。

グーグルの主力ビジネスは、検索結果に表示する広告だ。検索が利用されなくなれば当然、広告収入は減る。検索に取って代わる可能性があるチャットGPTは、屋台骨である広告ビジネスを大きく揺るがしかねなかった。

さらにグーグルにとって都合が悪いのが、チャットGPTを開発した「オープンAI」が、検索のライバル、マイクロソフトと手を組んでいることだった。マイクロソフトの検索サービス「ビング」は、シェアは3％程度にすぎないが、グーグル検索の唯一のライバルといえる存在だ。チャットGPTがビングに搭載されれば、グーグル検索の利用者流出に拍車がかかる恐れがあった。

グーグルの動揺は激しかったようだ。ニューヨーク・タイムズによると、ピチャイは、「コード・レッド（非常事態発生）」を宣言。多数のチームを急きょ、チャットGPTの脅威に対応する作業に当たらせ、すでに会社を離れた創業者ラリー・ペイジとセルゲイ・ブリンを招いて、助言を求めたという。

脅威はすぐに現実となった。マイクロソフトが2023年2月、「ビング」にチャットGPTの技術を搭載すると発表、「AIによる検索の再発明」をうたい、グーグルに真っ向勝負を挑んだのだ。

次世代AIサービスをめぐる巨大IT同士の戦い。その幕が切って落とされた。

元祖・巨大IT企業とも言えるマイクロソフトとグーグルの因縁は深い。グーグルが創業したばかりの2000年代前半、ネット閲覧ソフト（ブラウザー）を独占していたのは、マイクロソフトだった。グーグルはマイクロソフトのブラウザーに依存する、小さなＩＴ企業にすぎなかった。

マイクロソフトの独占にブレーキをかけたのは、１９９８年の米司法省による反トラスト法違反の提訴だった。２０００年に連邦地裁がマイクロソフトの分割命令を出すなど、国家vs巨大ＩＴの激しい法廷闘争が繰り広げられ、グーグルはその間隙を縫って急成長を遂げた。

マイクロソフト創業者のビル・ゲイツは後に「政府の独禁訴訟がなければどうなっていたと思うか」と問われ、「アップルやグーグルが支配しているスマートフォンの基本ソフトはマイクロソフトが完全に支配していただろう」、「（政府の提訴で）集中して事業に取り組めなかった」と語ったという。

ゲイツからＣＥＯを引き継いだスティーブ・バルマーのもとでは技術革新よりも出世が重んじられる「官僚化」が進み、マイクロソフトは凋落。入れ替わる形でグーグルがネットの覇権を握った。それから20年の時を経て、今度はグーグルが巨人として、挑戦者のマイクロソフトと対峙することになった。

果たしてグーグルはこの危機を乗り切れるのか。グーグルを知る関係者からは悲観的な声も聞かれる。

「今のグーグルはコンプラ（＝コンプライアンス、法令順守）、コンプラで、仕事を進めるのに10個以上承認が必要、みたいなこともある。政府の人間もどんどん入っているので、フットワークが軽い、かつてのようなあり方は無理だろう」

「官僚的な組織になり、次のビジネスが見えなくなって相当焦っている。チャットGPTだけでなく、新しい技術についていけていない焦り。ＡＩもクラウドもマイクロソフトに引き離され、10年後には『過去の企業』になっているのではないかという恐怖を感じている」

創業者のペイジは、グーグルが成長するにつれ、「どうすればマイクロソフトのようにならずに済むか」苦悩したという。しかし、その懸念が今、現実のものになりつつある。

２０２３年2月、チャットＧＰＴの利用者が急拡大する最悪のタイミングで開かれた決算の電話会見。ピチャイはこう強弁した。

「ＡＩが転換点を迎えるにあたり、優秀な研究者、インフラ、テクノロジーをもつ当社は非常に有利な立場にあります。6年以上前、私は初めてグーグルがＡＩファーストの企業だと話しました。それ以来、私たちはＡＩ開発のリーダーであり続けています」

この会見で、ピチャイらは説明の多くをＡＩに割いた。そのこと自体がグーグルの焦りを表している。

チャットＧＰＴの公開以降、開発したオープンＡＩにはグーグルの優秀なＡＩ技術者が次々と移籍し、ヒト・カネ・データが急速に集まっているという。急激な成長のサイクルに入ったＡＩの新興勢力とマイクロソフト連合。グーグルは今、創業以来、初めて本当の恐怖を味わっているのかもしれない。

＊

チャットＧＰＴを私も試してみた。たとえば「グーグルＣＥＯのサンダー・ピチャイについて、どう思う？」と問うと、こんな答えが返ってきた。

——私は個人的な感情や意見を持たないＡＩプログラムですが、サンダー・ピチャイは、グーグルのＣＥＯとして多大な成果を上げており、同社のビジネス戦略や技術革新の推進に尽力しているとされています。

ピチャイはアンドロイドやクロームなどの重要なプロジェクトを主導し、同社のＡＩ技術の発展にも貢献してきました。また、マネジメントスタイルにおいても、従業員の声に耳を傾け、自身も技術者として手を動かす姿勢が評価されています。

一方で、グーグルは競争法に違反しているとして訴えられるなど、様々な問題にも直面しています。ピチャイはこれらの問題に取り組み、グーグルのイメージ向上にも努めています。総じて言えることは、サンダー・ピチャイは、グーグルの発展や社員の幸福に貢献するために尽力している、優れたリーダーの一人であるとされています――

さすがＡＩ、空気を読まない。自分が追い詰めているピチャイを激賞している。

第11章　ＧＡＦＡと国家の未来図

「巨大ＩＴ企業がデジタル空間における『政府』になりつつあります。今後5年で、巨大ＩＴ支配の問題は最大のリスクと言えるでしょう」
——イアン・ブレマー（国際政治学者）

「ナショナル・チャンピオン企業」と化す巨大ＩＴ

２０２１年、大統領と議会に提出された人工知能（ＡＩ）の報告書が注目を浴びた。まとめたのは「人工知能に関する国家安全保障委員会（ＮＳＣＡＩ）」。委員長を務めるのはグーグル元ＣＥＯ、エリック・シュミットだった。シュミットは国家安全保障コミュニティーに深く入り込み、国防総省から特別待遇を受けているといわれていた。

「機械が人間よりも素早く正確に認識し、評価し、行動する能力は民間や軍事のあらゆる分野で競争力を高めます。ＡＩ技術はそれを利用する企業や国にとって、巨大なパワーの源になるでしょう」

「第2次世界大戦後、初めて米国の経済力と軍事力の支柱となる技術的優位性が脅かされています。中国は今後10年間で、米国をしのぐAＩの世界的リーダーになる力と素質、そして野心を持っています」

報告書は、中国に対抗するため、米政府が産業界を強力に支える必要があると訴え、国防総省などに対してこう提言した。

「政府は大規模な新規投資を行い、クラウドなどで構成される国家AＩ研究インフラを構築すべきである」

「共通のデジタルインフラを構築し、AＩを活用した戦争に不向きな軍事システムから撤退。代わりに次世代機能に投資する必要がある」

米国の覇権を維持する――そうした国益の観点からこの提言はなされたはずだ。しかし、委員の顔ぶれをみると、疑念がわく。

アマゾン、マイクロソフト、グーグル、オラクル。委員には、クラウドビジネスを展開する企業の幹部が勢ぞろいしている。アマゾンからは、CEOになるアンディ・ジャシー。グーグルからはクラウドAＩの幹部。元CEOのシュミットと合わせると、グーグル関係者が2人参加していたことになる。

報告書の発表から1年以上過ぎた2022年12月、国防総省はアマゾン、マイクロソフト、グーグル、オラクルの4社と「1兆円クラウド」を契約したと発表した。「国防総省の要求を満たす技術をもっているのはアマゾンとマイクロソフトだけ」。そう囁かれていたが、クラウド事業で出遅れていたグーグルも巨額案件に滑り込んだ。

巨大IT関係者が多数参加する委員会がクラウド強化を政府に提言し、政府案件を受注する——まるで出来レースのようだった。

「国防総省とシリコンバレーの大規模な統合が起きている」。IT4社が相乗りしたこの軍需契約を、専門家はそう評した。

「反巨大IT」の代表格、ティム・ウーはこうした巨大ITの対国家戦略を早くから見抜き、警鐘を鳴らしていた。彼は著書『巨大企業の呪い』でこう言っている。

「巨大ITは、中国がテクノロジー市場を制覇する恐怖をかき立て、アメリカ人がナショナル・チャンピオン企業を後押しする政策に立ち返ることを求めるだけでなく、独占を達成したテクノロジー企業の分割を求めてきた伝統を打破せよと訴えている」

ナショナル・チャンピオン企業とは「国を代表する企業」を意味し、主要産業を少数の大企業に集約し、競争力を強化しようとする政府の政策を「ナショナル・チャンピオン政策」と呼ぶ。

中国と対決するには米国を代表する巨大ITの力が不可欠であり、規制で弱体化させるべきではない——巨大IT側は世界各国のロビー活動でそう訴え、規制に反対してきた。それは「規制回避」と「政府による支援」という二つの果実を同時に得られる、きわめて巨大ITに都合のよい理屈に思える。

ウーはこうした巨大ITの主張は「2008年のリーマンショックのとき、大手金融機関に資金注入を行う根拠になった『大きすぎて潰せない』という理屈のビッグテック版だ」と喝破。「政府がフェイスブックやアップル、グーグルなどのような企業を擁護することには、きわめて重大なリスクが潜んでいる」とし、政府の庇護は巨大ITの影響力増大を招くと警告を発した。

日本政府関係者によると、2022年以降に来日した巨大IT幹部の多くは、ウクライナ戦争で自社が果たした役割、そして台湾有事を念頭に置いた日本の支援に言及したという。ロシアのウクライナ侵攻や米中対立により、巨大ITが安全保障を口実に国家に接近する場面は増えている。巨大ITが得意とするAIも軍事力向上に必須の技術だ。

巨大ＩＴは独占問題で国家と対立する一方、安全保障面では国家との距離を大きく縮めている。「独占問題」と「安全保障」が巨大ＩＴと国家の関係を決める、今後のキーワードになるだろう。

ＡＩが次の主戦場に？

巨大ＩＴが主導権を握ってきたテクノロジー分野では異変が起きている。
２０２２年末、突如現れた生成ＡＩ、チャットＧＰＴ。生成ＡＩが台頭する現在の状況は１９００年代初めに自動車「Ｔ型フォード」が登場し、標識やルールが整備されていった状況と似ているとも言われる。
「サービスのあらゆる層にＡＩを導入していく」（マイクロソフト）
「あらゆる企業が（クラウドで）生成ＡＩを活用できるようにする」（アマゾン）
「何十億もの人々に便利なＡＩエージェントを導入するチャンスがある」（メタ）
新しい波に乗り遅れまいと、巨大ＩＴ各社のＣＥＯは２０２３年、続々と生成ＡＩの強化を表明した。ザッカーバーグは４月の決算電話会見で「ＡＩ」を連発、その数は20回以上に及んだ。

今のところ、生成ＡＩの主導権を握っているのは新興勢力のようにみえる。チャットＧＰＴを開発し、生成ＡＩブームを巻き起こした「オープンＡＩ」は２０１５年に設立されたばかりのまだ若い組織だ。では、新興勢力の台頭によって巨大ＩＴは弱体化し、駆逐されるのだろうか。現時点の答えはノーだ。弱体化するどころか、今まで以上に強くなるとの見方も出ている。巨大ＩＴにはＡＩの人材やデータ、コンピューターといった開発資源が集中しているためだ。

オープンＡＩのチャットＧＰＴ開発は、巨大ＩＴのマイクロソフトがもつ膨大なコンピューティングパワー（コンピューター処理能力）がなければ、なしえなかったとされる。優れたＡＩを作り出すには訓練が必要で、それには膨大な量の計算をこなす莫大なコンピューティングパワーが必要になる。その力をもつのは、アマゾン、マイクロソフト、グーグルという一握りの巨大ＩＴに限られる。ＡＩの新興企業は巨大ＩＴにＡＩ開発の基盤インフラを頼らざるを得ない構図になっており、ＡＩの新興企業幹部は「今後、生成ＡＩでお金を稼ぐ仕組みが色々と作られるだろうが、市場が拡大するにつれ、基盤インフラを提供する巨大ＩＴには莫大な収益が流れる」と話す。

ＡＩの有力な研究者も巨大ＩＴに集中し、開発力も高い。

「大規模なＡＩ学習モデルの大半は、グーグル、メタ、マイクロソフト（と投資先のオープンＡＩ）によってほぼ独占的に開発され、アマゾン、グーグル、マイクロソフトのクラウドサービスの一部として提供されているものも多い。巨大ＩＴが先行者利益を維持し、ＡＩが一部の企業の手に集中することになるかもしれない」

米政策研究機関「ＡＩナウ研究所」は２０２３年４月、巨大ＩＴのＡＩ支配に警鐘を鳴らした。

ＡＩ技術をめぐっては規制に動き出す国家と巨大ＩＴのせめぎ合いも始まっている。

「いろいろなリスクも言われているが、それをできるだけ低減し、メリットをさらに増やしていく、という点で日本の果たしうる役割は大きい」

「オープンＡＩ」ＣＥＯのサム・アルトマンは２０２３年４月、電撃来日し、首相の岸田文雄と官邸で面会。自民党の会合では世界各国で盛り上がる規制論をけん制した。その後もマイクロソフト社長のブラッド・スミスをはじめ、グーグルやアマゾンの幹部が次々と日本を訪れた。

日本はＡＩ関連の規制が緩く、「機械学習天国」とも呼ばれる。巨大ＩＴ幹部が続々と来日した裏には、欧米で規制強化の議論が広がる中、Ｇ７サミットの議長国であり、利用に前向きな日本を早めに取り込む狙いがあったともいわれる。「日本だけが規制強化を言わないなかで、絶妙のタイミングでやってきて、楔を打ち込もうとしてきた。やはり彼らはすごい」。ある日本政府関係者は唸った。

ＡＩ規制で先行する欧州では、規制法案を巡ってグーグルやマイクロソフトが激しいロビー活動を展開していたことが明らかになっている。欧州の調査団体によると、巨大ＩＴはＡＩの規制の範囲を狭くしようと、欧州議会に対して積極的にロビー活動を展開。ＡＩに関する「ロビーミーティング」の数はグーグルが28回でトップとなり、マイクロソフトが3位（14回）、メタが6位（10回）だった。

ＡＩ強化に突き進む巨大ＩＴ企業。一方で、ＡＩの危険性を指摘する研究者は多い。「ＡＩを純粋に愛する者として、ますます心配になっています。ＡＩに利点はありますが、それがリスクを上回るかどうかはまだわかっていません」

著名なＡＩ研究者として知られるニューヨーク大学名誉教授、ゲイリー・マーカスは２０２３年5月、米議会公聴会でそう語った。彼は「最近、あるＡＩモデルが、人が自ら命を絶つ決断に一役買ったようだ」と話し、「私たちは強力で、無謀で、制御が難しいマシンを作ってしまった」と危機感を露わにした。

巨大ＩＴがＡＩを支配しようとしていることにも強い懸念を示した。オープンＡＩの目標は当初、金銭的リターンにとらわれず、人類全体に利益をもたらす形でＡＩを進歩させることだった。しかし今、彼らは検索エンジンの壮大な戦いに巻き込まれ、マイクロソフトの言いなりになってしまった。グーグルは製品開発を急ぎ、安全性を重視しなくなっている。

「巨大ＩＴは私たちを信頼しろ、というでしょう。でも、どうしてそうしなければならないのでしょうか。人間性は後回しにされている——。政府の関与は当然、必要です」

マーカスはそう言い切った。

同じ公聴会にはオープンＡＩのＣＥＯ、アルトマンも出席していた。彼はそこで意外な発言をした。

「ＡＩモデルのリスクを軽減するには、規制による政府の介入が不可欠になると考えています。ＡＩの開発とサービスについて、米国政府が免許とテストの要件を求めることも考えられるでしょう」

アルトマンは米政府に自らを規制するよう求めたのだ。優れたＡＩを作り上げた自信と、自らが開発したＡＩをコントロールできなくなる恐怖……発言は彼のそんな複雑な胸の内を表しているように思える。

もっとも、この規制提案を額面通り受け取れない部分もある。AI開発で先行するオープンAIにとっては規制があった方が後発企業の参入ハードルが高まり、先行者利益を維持できるからだ。グーグルとマイクロソフトのAI覇権をめぐる争いが始まり、企業が自ら開発を止めるのは、現実的には難しいだろう。

巨大ITでさえ制御できないかもしれないテクノロジーの暴走をどう国家が止めるのか。巨大ITと国家の攻防は、チャットGPTの登場で新たな次元に入ったのかもしれない。

危険な「テクノポーラーの世界」

今後、巨大ITと国家の関係はどうなっていくのだろうか。

国際政治学者のイアン・ブレマーは2022年、毎年発表する世界の「10大リスク」で「テクノポーラー（巨大IT企業中心）の世界」のリスクを2位に挙げ、こう理由を説明した。

「テクノポーラーの世界は新しい創造物である。約400年前、ウェストファリア条約によって国民国家が地政学の構成要素とされて以来、国民国家が世界秩序を定義してきた。しかし今日、国家はテクノロジー企業との新しい競争に直面する。実際、テクノロジー企業は、地政学の全く新しい次元であるデジタル空間に主権を行使している」

「人々の日常生活の重要な部分、さらに国家の本質的な機能の一部がますますデジタル世界に存在し、ガバナンスを苦手とする（あるいは関心のない）テック企業によって未来が形作られつつある。国家は、この流れに歯止めをかけることができないだろう」

「テクノポーラー」は巨大ＩＴが一つの「極」になる、といった意味で使われていたが、聞き慣れない言葉だった。しかしブレマーの問題意識は、私がおぼろげながら抱いていたそれと全く同じだった。


その年、ニューヨークにある彼のオフィスでインタビューした。

なぜ、それほどまでに巨大ＩＴの世界が危険なのか。彼の答えは明解だった。

「企業は自己規制できません。利益を最大化することに重点を置いているからです」

「政府の規制は、企業のビジネスが行き過ぎて、公共の利益を破壊することを防ぐために存在します。しかし、巨大ＩＴを十分に規制する枠組みはまだ作られていない。ＩＴ企業を止める必要がありますが、今のところ、その能力が政府にはありません」

「新型コロナウイルスへの感染を避けたいなら、ワクチンを打てばいいことは分かっています。そのワクチンを提供する前に、私たちは安全性を確認するためにテストする必要がありました。その結果、数か月待つことになりました」

「ＩＴ企業が、スマートフォンを使う若者の思考に影響を与えるような新しいアルゴリズムを発表するとき、企業はそれをテストする必要がありません。ただ、アルゴリズムを発表するだけです。それがどんな影響をもたらすかも分からずに。これは明らかにガバナンスの失敗です。しかし、驚くことではありません。なぜなら、デジタル空間では、政府はほとんど存在せず、ＩＴ企業が主権を握っているからです」

ブレマーは巨大ＩＴが歴史的に見て特異な存在であり、国家による取り締まりが難しいと指摘する。

「巨大ＩＴが強いのは、文字通りデジタル世界を創造しているからです。ルールは何か、それを決定するアルゴリズムは何か、プラットフォームに関する全てを決定しています。大統領を入れるのか、追い出すのか。デジタル空間の主権者なのです。20世紀の軍産複合体とも違う、これまで見たことがないものです」

そう言うと、彼は少し胸を張って付け加えた。

「テクノポーラーという言葉が存在しないことに、ちょっと驚きました。グーグルで調べてもわからない。私たちが書くまでテクノポーラー（の概念）はなかったんです」

少なくとも今後5年間は、政府が規制するより早く巨大ITは強力になっていく、というのが彼の見立てだ。そして、巨大ITと国家の格差は今後ますます広がるという。

「今後、政府の存在意義が薄れ、機能不全に陥り、巨大IT企業が重要な役割を担うようになるシナリオもあり得るでしょう。今は国家が管理する通貨がありますが、これがすべて暗号資産になったらどうなるか。国家が主権をもつ通貨がなくなれば、政府よりも、巨大IT企業の方がずっと影響力が強くなることもあり得ます」

ブレマーは世界情勢の行方をいち早く見抜き、世界を主導する国家が不在となる「Gゼロ」の到来を予言したことで知られる。その彼が断言した。

「デジタル空間ではGゼロの後に何が来るか分かっています。それはテクノポーラーの世界です」

巨大ITと国家の未来について、ブレマーが提示するのは三つのシナリオだ。

1：国家が巨大ITを従わせ、巨大ITは国家に近い「ナショナル・チャンピオン企業」

として生き残る。
2：国家が物理的な世界を統治し、巨大ＩＴはデジタル世界を統治する、分割統治。この場合、国家同士の連帯感が高まり、国家間の摩擦が少なくなる。
3：国家の存在意義が薄れ、機能不全に陥り、巨大ＩＴが重要な役割を担うようになる「テクノ・ユートピア（技術理想主義社会）」の出現。

ＧＡＦＡの10年後生存確率

ブレマーが提示したシナリオに基づいて、各社の未来と生存確率を占ってみたい。

◆グーグル：10年後の生存確率70％

ＡＩで国家との結びつきを強め、「ナショナル・チャンピオン企業」として生き残りを図るだろう。しかし、その未来はチャットＧＰＴとマイクロソフトの攻撃をしのぎ、検索の高いシェアを維持できるかにかかっている。

いったん、とてつもない新技術が世の中に現れれば、それがなくなることはない。自動車が生まれれば、やがて馬車に乗る人はいなくなる。グーグルもいったん崩れると挽回は難しいかもしれない。

グーグルは、検索やウェブサイトなどの広告が売上全体の８割を占める広告「ほぼ一本足」経営だ。チャットＧＰＴが検索の利用者を奪えば、広告事業が縮小し、途端に経営が苦しくなる。問題は、検索からＡＩ対話サービスに乗り換える人がどれほど増えるかと、移行のスピードだ。

すべての調べ物をチャットＧＰＴで済ませ、グーグル検索の利用が全くなくなる世界がすぐに来るとは思えない。グーグルもＡＩ対話サービス「Ｂａｒｄ（バード）」で対抗し、チャットＧＰＴを追い上げる構えをみせている。

グーグルは検索だけでなく、スマートフォンの基本ソフトを支配し、ユーチューブやグーグルマップといった強力なサービス群をもつ。利用者がスマホやそうしたサービスを使い続けることに疑いの余地はなく、その支配力は簡単には落ちないだろう。

また、グーグルはスーパーコンピューターをはるかに上回る性能をもつ、量子コンピューターの開発でも先行する。量子コンピューターは米政府が中国との開発競争で重視する分野で、「ナショナル・チャンピオン企業」としての存在感はなくならないだろう。

グーグルにはシリコンバレーで最も優秀な技術者が集まるといわれてきた。そうした人材を引き留めておくには、安全志向が強まる企業文化の刷新が必要になるかもしれない。

◆アップル：10年後の生存確率90％

アップルは製品が売上の大半を占め、アップル信者と呼ばれる固定ファンが多い。iPhoneの利用者は世界で10億人を超え、「世界インフラ」と言っても過言ではない。価格が高くても買う人が多く、CEOのティム・クックは「人々は自分が買える最高のiPhoneを手に入れるために努力を惜しまない」と話す。タブレット「iPad」の教育への活用など、若年層も着実に取り込んでいる。インドなど新興国市場での販売も今後、拡大するとみられ、大黒柱の製品ビジネスがすぐに崩れるとは考えづらい。

収益の「iPhone一本足」から脱却を図り、音楽や動画など有料サービスで稼げるようになっているのも強みだ。利用者がアップル製品を長く使えば使うほど、有料サービスの加入者も増え、サービス部門も成長し続ける。

ただ、国家による規制強化はアップルの業績に一定の打撃を与えるかもしれない。規制によってiPhoneに別のアプリストアが参入できるようになれば、手堅かったアップストアのビジネスは競争にさらされる。すでにマイクロソフトがゲームのアプリストアで参入する構えを見せており、欧州や日本が検討する規制の影響は小さくないだろう。

グーグルとは異なり、アップルは国家と一定の距離を保つと考えられる。米国の国防産業との接点は少なく、ＡＩでも目立った動きがみられない。アップルがデジタル世界、政府が物理的世界を統治するという「分割統治」にすでに近い状況だ。

最大のアキレス腱になるのが米国からの覇権奪取を目指す中国との関係だ。本書で書いたように、アップルはｉＰｈｏｎｅなどの生産を中国に依存しきっている。インドなどへ生産国を分散しつつあるが、微々たるもので、移転先でも中国企業が大きな役割を果たしていると言われる。

仮に台湾で有事が発生した場合、中国で強力な生産体制を作り上げたことがあだとなり、大打撃を受ける。中国の台湾侵攻が数年以内に起きるとも言われる中、中国への依存度をいかに下げるかが大きな経営課題になりそうだ。

◆メタ：10年後の生存確率50％

現在、危機的状況に陥っているメタ。ブームが去ったと言われるメタバースの未来は当然、大きな不安要素だ。しかし、それ以上に問題なのは、大黒柱であるソーシャルメディアを通じた広告事業の不振だ。

メタは広告事業の売上が100%近い「超・広告一本足」経営だ。ティックトック台頭やアップルのプライバシー対策導入など様々な逆風があり、今後も減少は避けられない状況だ。一方、38億人という膨大な利用者基盤をもつ強みは大きく、今後、それをいかに維持、拡大できるかが課題になりそうだ。

2023年7月にはツイッター（現・X）に似た短文投稿サービス「スレッズ」を開始。急速に利用者を拡大しており、苦しい現状を打破するきっかけになる可能性もある。

国家による規制の影響が最も大きいのはメタだろう。裁判所が米連邦取引委員会の主張通り、インスタグラムとワッツアップの売却を命じれば、主力ビジネスの一角を失うことになり、メタの経営が急速に行き詰まる可能性もある。

次世代のプラットフォーム、メタバースの進展の速さも大きなカギを握る。メタバースは一部で「年間2000時間以上をメタバース上で過ごす」といった熱狂的なファンを生む一方で、そのブームは早くもしぼんでいるとの見方が多い。

ただ、将来、メタバースのブームが再熱し、普及が本格化すれば、メタは先行投資を一気に回収し、次世代の主役の座をつかむことができる。そうなればブレマーの言う「テクノ・ユートピア（技術理想主義社会）」が現実のものとなるかもしれない。

ザッカーバーグ自身、「（会社は）急成長の局面からある種の転換期を迎えている」と認めている。既存の事業を我慢強く維持しながら、メタバースという「賭け」が成功するのを待つ展開になりそうだ。

◆アマゾン：10年後の生存確率90％

アマゾンもグーグルと同様、クラウドで国家とのつながりを深め、「ナショナル・チャンピオン企業」として強大な力を維持するだろう。創業者のジェフ・ベゾスは政府の介入を嫌うリバタリアン（自由至上主義者）とも言われるが、CEOを引き継いだアンディ・ジャシーは政府との距離を積極的に縮めている。ウクライナ侵攻時はウクライナ政府のデータ移転を支援し、「政府の商人」としての価値をさらに高めた。

ネット通販とクラウドの2本柱は強固で、広告事業も伸びている。2億人を超えるプライム会員の数はまだ拡大する余地がありそうだ。買い物の多くをアマゾンに依存する消費者は増え続けるだろう。

一方、米国の独禁当局との戦いは今後、激しくなりそうだ。特に連邦取引委員会トップの「天敵」リナ・カーンから標的にされていることはアマゾンにとって大きな懸念材料だろう。

アマゾンにとって最悪のシナリオは、アマゾン自身が売るサイトと第三者の出店者が売るサイトなどへ事業を強制的に分割させられることだ。全力で阻止するだろうが、仮に政府が分割を要求し、それが通った場合、アマゾンは中核事業のネット通販で大幅な戦略変更を余儀なくされるだろう。

私の印象ではアマゾンはGAFAの中で最も失敗に寛容で、官僚化が進んでいない。ベゾスの「デイ・ワン」精神――初日と同じ活力ですべてに取り組む――が息づいているのだろう。現CEOジャシーの2023年の発言がそれをよく表している。

「私たちは低軌道衛星、ヘルスケアその他への投資に非常に熱心です。新しい投資のすべてが成功するか?それは望み薄です。しかし、一つか二つがアマゾンの4本目の柱になるだけで、私たちは時とともに全く別の会社になっていくのです」

次のイノベーションに最も近いのは、実はアマゾンかもしれない。国家にとって手ごわく、しかし頼りになる存在としてアマゾンは10年後も強くあり続けるだろう。

＊

１９９０年代、パソコンの基本ソフトを独占し、繁栄を謳歌したマイクロソフトは２０００年代に技術革新よりも出世が重んじられる官僚化が進み、携帯分野でアップルやグーグルに大きく後れを取った。

アップル創業者のスティーブ・ジョブズは生前、こう語っている。

「ＩＢＭやマイクロソフトのような会社が下り坂に入ったのはなぜか。僕なりに思う理由がある。いい仕事をした会社がイノベーションを生み出し、ある分野で独占か、それに近い状態になると、製品の質の重要性が下がってしまう。そのかわり重く用いられるようになるのが〝すごい営業〟だ。営業畑の人間が会社を動かすようになると製品畑の人間は重視されなくなり、その多くは嫌になってしまう」

「１世代あるいは２世代あとまで、意義を持ちつづける会社を作るんだ。お金が儲かるだけじゃなくてね」

ジョブズの言葉は巨大化し、変質するＧＡＦＡにどう響くのだろう。

本書では巨大ＩＴと国家の攻防を、特に独占問題に焦点を当てて描いた。最後に、

「GAFAの敵」と呼ばれ、10年にわたって独占問題で彼らと戦ってきた欧州委員会幹部、マルグレーテ・ベステアーの言葉を取り上げたい。

「なぜ競争にはルールが必要なのでしょう？ただ競争すればよいのでは？企業が自由に競争すれば、品質が向上し、価格は下がり、技術革新が生まれるのだから。確かに、大抵はそうなるでしょう」

「でも問題は、企業にとって時に競争は不都合だということです。競争に終わりはなく、過去にどれだけうまくいっていたとしても、常に誰かがその座を奪おうとしています。ですから競争を避けたいという誘惑は強力です」

「アダムとイブと同じくらい、古くからこのような動機はありました。もっとお金が欲しいという欲望、市場での地位やその恩恵を失うことへの恐れです」

「欲望と恐れに権力が結びつくと、危険な組み合わせができ上がります。欲望と恐れによって権力者がその座を手放さなくなるのです。競争法（独禁法）は欲望と恐れが公正さを打ち負かさないように、企業が権力を乱用するのを防ぐものなのです」

　彼女の言葉は独占問題の核心を突いている。

＊

いま私には6歳の娘がいる。20年後、彼女が大人になったとき、ＧＡＦＡは変わらずそこにあるのだろうか。それとも、「そんな企業があったんだ」と語られる存在になっているのだろうか。そして、国家と巨大ＩＴの関係はどうなっているのか。

巨大ＩＴ vs 国家。異形の企業と国家の全く新しい攻防を、私たちは今、目の当たりにしているのかもしれない。

おわりに

印象に残っている出来事がある。

2021年秋、フェイスブックの電話会見。3か月に1回の決算発表の後、マーク・ザッカーバーグら経営幹部の話を直接聞くことができる貴重な機会だ。ただ、参加して質問できるのはゴールドマン・サックスやモルガン・スタンレーなどウォール街のアナリストだけ。私たち記者は、音声でそのやり取りを聞くことしかできない。

その秋は内部告発者が「フェイスブックは安全性より利益を優先している」と証言、世間では強い逆風が吹いていた。そのさなかに開かれた電話会見だから、アナリストであっても、経営への影響を聞くのだろう——そう思っていた。

しかし、そんな質問は一切出なかった。ターゲティング広告の精度がどうなったか、メタバースの投資はどうするか、若年層をどう開拓するのか。「消費者の安全をどうするのか」という根本的な問いは発せられなかった。

電話会見は投資家向けに開かれるもので、安全問題は趣旨が違うことは分かっていたが、「稼ぐ」話ばかりで、企業の公益性に関する質問が皆無だったことに失望した。

誰かが悪い、というわけではない。皆、それぞれが市場で与えられた役割を果たしているのだ。巨大ＩＴは効率よく稼ぐこと、アナリストは投資家に情報を提供すること。しかし、ウォール街で交わされる会話は、米議会で交わされていた「巨大ＩＴの社会的な役割」という議論とは全く違うものだった。

電話会見で、ザッカーバーグはよく「マネタイズ」という言葉を使う。「短編動画を成長させ続けるうえでのボトルネックは、マネタイズ効率、つまり視聴時間1分あたりの収益を改善することです」といった具合だ。

マネタイズは「収益化」を意味し、一般に「無料サービスから収益を得る」という意味で使われる。私はこの言葉が大嫌いだ。

利用者の視聴時間を長くしてデータを収集し、広告を効率よく打てるようにする。結局、ザッカーバーグの関心はそこにしかないのではないか。そして極論すれば、彼らにとって安全問題など、どうでもよいのではないか。収益や株価に響かなければ――。

大事なのは公益性より収益性。率直に言って、巨大ＩＴは社会のインフラを運営しているという自覚に欠けている。すべての問題はそこから起きているように思う。

私たちは生活者として巨大ＩＴのテクノロジーを使う。巨大ＩＴのサービスや製品は洗練されていて、そこだけ見れば、彼らは輝きに満ちている。しかし、その裏には貪欲にお金を稼ぐ巨大企業の別の顔がある。

利用者や取引先から多くの利益が得られるよう、精巧なビジネスモデルを組み立て、ビジネスを邪魔しようとする政府には大量のロビイストを動員して潰しにかかる。彼らは決して、美しく、洗練された企業などではない。

もちろん、政府の言うことがすべて正しいとは限らない。国家も間違いは犯す。民主主義社会であれば、政府は私たちが監視すればいい。

ただ、巨大ＩＴに監視の目はほとんど及んでいない。テクノロジー至上主義、ビジネス至上主義の巨大ＩＴが暴走したとき、いったい誰が止めるのか。せめて監視だけはできるようにしなければ、問題は置き去りにされ、彼らはただ前に進み続けるだろう。

新しく現れた「第五の権力」、巨大ＩＴに対抗できるのは国家しかない。

＊

本書は２０１６年から私が断続的に取材してきた内容をもとにまとめた。２０１９年から22年夏まではニューヨーク特派員としてＧＡＦＡや米国政府を直接、取材する機会に恵まれた。

最初は主に政府側からＧＡＦＡをみていた。しかし、規制する側だけから見るのでは、巨大ＩＴの奥深さは理解できない。現地でＧＡＦＡを実際に取材して、本当の意味で彼らのビジネスを理解し、彼らが大切にしている理念、自由な発想に触れることができた。米国に駐在し、世の中を本当に動かすのは国家ではなく、民間企業なのかもしれない、と思うようになった。３年間の米国生活はこのテーマを追う上で、不可欠な経験だったと思う。

巨大ＩＴ vs 国家という図式が思い浮かんだのは、米国駐在中の２０２０年の初め頃だった。

米国赴任直後から次々と巨大ＩＴの調査が始まり、国家は攻勢を強めた。巨大ＩＴはロビー活動などでそれに激しく抵抗。そのぶつかり合いは激しさを増していた。

３か月ごとに記事にするＧＡＦＡの決算の数字は、民間企業とは思えない、桁違いの規模だった。たった3か月で売上が10兆円を超えることもある。そして、彼らが時々発表するプラットフォームのルールは、国家の法律のような効力をもっていた。

「これは一つの国家じゃないか。いや、国家を超えているかもしれない」

局地戦を眺めるうち、この争いにはもっと大きな構図があるのでは、と思い始めた。

そしてある時、ふと思った。

「今起きているのは『超国家』巨大ＩＴと国家の戦いなのではないか」

時とともに、その考えは確信に変わっていった。これは世界が初めて経験する事態だ。そして、日本で巨大ＩＴ規制を取材していた私にはそれを書くだけの知見がある。このパワーゲームを余すところなく書くのが自分の使命だと思った。

その後、米政府によるグーグルやフェイスブックの提訴、そして反巨大ＩＴ派の台頭を目の当たりにした。国家と巨大ＩＴの対決の構図がより鮮明になり、私はその攻防を必死に追った。

歴史的に見ても異例の存在である巨大ＩＴと超大国・米国の攻防を最前線で取材する機会に恵まれたことは、幸運だったと思う。

＊

米国の取材では、同僚だったアレックス・カールソン、マーガレット・スピーゲルマンに多くの力を借りた。優秀な彼らは細部にこだわる私の要求に、いつも120％応えてくれた。本書の多くの部分は彼らの素晴らしい調査に依っている。

同時期に読売新聞ワシントン特派員だった山内竜介氏にも御礼を言わなければならない。米国駐在中は巨大ＩＴ関連だけでなく、金融、政治でも大きな動きがあった。2020年にはコロナ禍で米国経済が大混乱し、株価も暴落した。ニューヨークでは死者が激増し、一時は悪夢のような日々を送った。極めて優れた「戦友」、山内氏の助力なしでは、3年間の過酷な米国生活を生き延びることができなかっただろう。

独禁法の専門家、土田和博・早稲田大教授には米国駐在中から多くの助言をいただいた。記者と取材先というより、生徒と先生のような関係でやり取りさせてもらった。時に難解な独禁法の概念を温厚な土田先生に丁寧に解説してもらい、自信をもって記事を書くことができた。本書をもって感謝を伝えたい。

2022年の帰国後は小野田徹史・読売新聞経済部長に特にお世話になった。小野田部長は私を特定の記者クラブに所属させるのではなく、遊軍という、最も私に適した立場を与えてくれた。連載「値段の真相」など、多くの興味深い仕事も任せてくれた。そうした取材で得た話は本書にも生かされている。

7年に及ぶ取材では、他にも名前を明かすことのできない、多くの人にお世話になった。本書を書きながら、様々な人の顔が思い浮かんだ。取引先に対する巨大ITの厳しい仕打ちに「涙が出そうになる」と言った人。私が書いた記事で迷惑をかけてしまった人。

記者は、取材先がリスクを取ることで初めて重要な情報を知ることができる。世の中のためになるなら、とリスクを取ってくれた人もいる。そうした無名の人の協力もあって、本書は成り立っている。御礼を申し上げたい。

本書では多くのデータを米国の非営利団体に頼った。私が知りたいと感じたほとんどのデータを彼らは収集し、外部の人間が利用できるようにしていた。巨大ITや政府内部のやり取りなどはウォール・ストリート・ジャーナルはじめ米メディアの記事に頼った。NPOの調査力とジャーナリズムの層の厚さ。これも米国の素晴らしさだと思う。

本書は米国駐在中の2021年に執筆を始めたが、まとまった時間が取れず、帰国から1年というタイミングの出版となった。執筆を柔らかく先導してくださった新潮社の門文子氏、新書に収まりきらない量の原稿を巧みに減量してくださった阿部正孝編集長にも御礼を言いたい。

本書を書くことでようやく米国から帰任できた気がする。コロナ禍の3年間、米国と日本で家族と離れて暮らすことを余儀なくされた。本書によって、離れて暮らした期間が無駄ではなかったのだと、妻の美希、娘の璃子に伝えたい。

この先、巨大ＩＴと国家の関係はどうなっていくのだろう。対立するのか、共存するのか。あるいは共闘するのか。そして、新たなテクノロジーの出現は両者をどう変えるのか。本書ではあまり触れなかったが、米国vs中国という国家の覇権争いもその関係に大きな影響を与えるだろう。巨大ＩＴと国家が繰り広げる「新・パワーゲーム」を今後も見守り続けたい。

主要参考文献

【Google】

『グーグル　ネット覇者の真実』　スティーブン・レヴィ　阪急コミュニケーションズ　２０１１

『グーグル秘録　完全なる破壊』　ケン・オーレッタ　文藝春秋　２０１０

『第五の権力　Googleには見えている未来』　エリック・シュミット、ジャレッド・コーエン　ダイヤモンド社　２０１４

『時間術大全』　ジェイク・ナップ、ジョン・ゼラツキー　ダイヤモンド社　２０１９

【Apple】

『アップルvs.グーグル　どちらが世界を支配するのか』　フレッド・ボーゲルスタイン　新潮文庫　２０１６

『スティーブ・ジョブズ　Ⅰ　Ⅱ』　ウォルター・アイザックソン　講談社　２０１２

『ティム・クック　アップルをさらなる高みへと押し上げた天才』　リーアンダー・ケイニー　ＳＢクリエイティブ　２０１９

『沈みゆく帝国　スティーブ・ジョブズ亡きあと、アップルは偉大な企業でいられるのか』　ケイン岩谷ゆかり　日経ＢＰ　２０１４

『インサイド・アップル』　アダム・ラシンスキー　早川書房　２０１２
『アップル帝国の正体』　後藤直義、森川潤　文藝春秋　２０１３
『AFTER STEVE アフター・スティーブ　３兆ドル企業を支えた不揃いの林檎たち』　トリップ・ミックル　ハーパーコリンズ・ジャパン　２０２２

【Facebook（Meta）】

『フェイスブック　若き天才の野望』　デビッド・カークパトリック　日経ＢＰ　２０１１
『フェイスブックの失墜』　シーラ・フレンケル、セシリア・カン　早川書房　２０２２
『告発　フェイスブックを揺るがした巨大スキャンダル』　ブリタニー・カイザー　ハーパーコリンズ・ジャパン　２０１９
『マインドハッキング　あなたの感情を支配し行動を操るソーシャルメディア』　クリストファー・ワイリー　新潮社　２０２０
『アンチソーシャルメディア　Facebookはいかにして「人をつなぐ」メディアから「分断する」メディアになったか』　シヴァ・ヴァイディアナサン　ディスカヴァー・トゥエンティワン　２０２０
『スマホ脳』　アンデシュ・ハンセン　新潮新書　２０２０

【Amazon】

主要参考文献

『ジェフ・ベゾス　果てなき野望』　ブラッド・ストーン　日経ＢＰ　２０１４

『ジェフ・ベゾス　発明と急成長をくりかえすアマゾンをいかに生み育てたのか』　ブラッド・ストーン　日経ＢＰ　２０２２

『Invent & Wander　ジェフ・ベゾス Collected Writings』　ジェフ・ベゾス寄稿　ダイヤモンド社　２０２１

『潜入ルポ　アマゾン帝国の闇』　横田増生　小学館新書　２０２２

【ＧＡＦＡ】

『the four GAFA　四騎士が創り変えた世界』　スコット・ギャロウェイ　東洋経済新報社　２０１８

『GAFA next stage ガーファ ネクストステージ　四騎士＋Ｘの次なる支配戦略』　スコット・ギャロウェイ　東洋経済新報社　２０２１

【その他】

『巨大企業の呪い　ビッグテックは世界をどう支配してきたか』　ティム・ウー　朝日選書　２０２１

『市場対国家　世界を作り変える歴史的攻防〈上巻〉』　ダニエル・ヤーギン、ジョゼフ・スタニスロー　日本経済新聞社　１９９８

『危機の地政学』　イアン・ブレマー　日本経済新聞出版　２０２２

『デジタル時代の競争政策』　杉本和行　日本経済新聞出版社　２０１９
『アメリカ独占禁止法　第2版』　松下満雄、渡邉泰秀　東京大学出版会　２０１２
『経済法のルネサンス　独占禁止法と事業法の再定位』　土田和博　日本評論社　２０２２
Investigation of Competition in Digital Markets: Majority Staff Report and Recommendations. Subcommittee on antitrust, commercial and administrative law of the committee on the judiciary, 2020
Holding the line: Inside Trump's Pentagon with Secretary Mattis. Guy M. Snodgrass, Sentinel, 2019

*

その他、執筆にあたっては米政府当局の訴状、米議会の議事録、ＧＡＦＡ決算資料、米国メディア報道などを多数参照した。

小林泰明　1977（昭和52）年生まれ。エネルギー専門紙記者を経て、2005年、読売新聞社入社。19年からニューヨーク特派員、22年に帰国。東京本社経済部所属。著書に『死刑のための殺人』など。

Ⓢ新潮新書

1012

国家は巨大ITに勝てるのか

著者　小林泰明

2023年9月20日　発行

発行者　佐藤隆信

発行所　株式会社新潮社

〒162-8711　東京都新宿区矢来町71番地
編集部(03)3266-5430　読者係(03)3266-5111
https://www.shinchosha.co.jp
装幀　新潮社装幀室

印刷所　株式会社光邦

製本所　株式会社大進堂

ISBN978-4-10-611012-2 C0233

Ⓢ新潮新書

1004
不道徳ロック講座
神舘和典

仲間の妻に関係を迫る。薬物中毒で入院させられる……ミック・ジャガー、エリック・クラプトン、ジョン・レノン等、デタラメで不道徳、でも才能あふれる面々の伝説を追った一冊。

1003
世界のＤＸはどこまで進んでいるか
雨宮寛二

社会・経済環境の激変がもたらす危機の大波を、先進企業はいかに乗り越え、次代のビジネスを切り拓いているのか。企業人必読、２０３０年以降を見据えた「ＤＸ変革」徹底講義！

1002
フィリピンパブ嬢の経済学
中島弘象

フィリピンパブ嬢と結婚した筆者の人生は、新たな局面に。初めての育児、言葉の壁、親族縁者の無心と綱渡りの家計……。異文化の中で奮闘する妻と、それを支える夫の運命は？

1001
学習院女子と皇室
藤澤志穂子

目的は皇族を支える華族の子女の教育。あいさつは「ごきげんよう」。歴史的経緯、独特の慣習、同窓会誌等から、親子四代学習院出身の著者が「上流階級教育」の意義に迫る刺激的論考。

1000
ウクライナ戦争の軍事分析
秦　郁　彦

圧倒的な火力で迫るロシア軍に対し、欧米の軍事支援を受けるウクライナ軍との攻防は一進一退。現代史研究の第一人者が、侵攻開始以来の戦局の推移と今後の展望を鋭く読み解く。

Ⓢ新潮新書

994
国難のインテリジェンス
佐藤優

「検討」など、もう聞き飽きた！　日本が長い間解決を先延ばしにし続けた問題を、各分野の知性と本気で解く。世界が再び混迷に突入する中、猶予はもはや残されていない。

993
不老脳
和田秀樹

やる気が出ないのは脳のせい！　それは前頭葉が40代から萎縮を始めるから……。だが、いつまでも若さを保てる人がいるのはなぜ？　ベストセラー連発の著者が贈るとっておきの処方箋。

992
２０３５年の中国
習近平路線は生き残るか
宮本雄二

建国百年を迎える２０４９年の折り返し点とされる２０３５年に習近平は82歳。その時中国はどうなっているのか？　習近平を最もよく知る元大使が、中国の今後の行方を冷徹に分析する。

991
目的への抵抗
シリーズ哲学講話
國分功一郎

消費と贅沢、自由と目的、行政権力と民主主義など、コロナ危機に覚えた違和感の正体に迫り、哲学の役割を問う。『暇と退屈の倫理学』の議論をより深化させた、東京大学での講話を収録。

990
うらやましいボケかた
五木寛之

下を向いて歩こう——ボケる思考、ガタつく体を実感しながらも、ひとり軽やかに「老年の荒野」をゆく——人の生き方・考え方が目まぐるしく変わる人生百年時代に綴った卒寿の本音。

Ⓢ新潮新書

989
官邸官僚が本音で語る権力の使い方
兼原信克　佐々木豊成
曽我　豪　高見澤將林

巨大タンカーのごとき日本政府を動かすには「コツ」がいる。歴代最長の安倍政権で内政・外政・危機管理の各実務トップを務めた官邸官僚が参集し、「官邸のトリセツ」を公開する。

988
東京大学の式辞
歴代総長の贈る言葉
石井洋二郎

その言葉は日本の近現代史を映し出す――時代の荒波の中で、何が語られ、そして何が語られなかったのか。名式辞をめぐる伝説からツッコミどころ満載の失言まで、徹底解剖！

987
マイ遍路
札所住職が歩いた四国八十八ヶ所
白川密成

札所の住職が六十八日をかけてじっくりと歩いたお遍路の記録。美しい大自然、幽玄なる寺院、空海の言葉……人々は何を求めて歩くのか――。日本が誇る文化遺産「四国遍路」の世界。

986
ボブ・ディラン
北中正和

その音楽はなぜ多くの人に評価され、影響を与え、カヴァーされ続けるのか。ポピュラー音楽評論の第一人者が、ノーベル賞も受賞した「ロック界最重要アーティスト」の本質に迫る。

985
山本由伸　常識を変える投球術
中島大輔

肘は曲げない、筋トレはしない、スライダーは自ら封印……。「規格外れ」の投手が球界最高峰の選手に上り詰めた理由は何なのか。野球を知り尽くしたライターが徹底解読する。